D0286346

Über dieses Buch »Wunderschön sparsam und durchsichtig« hat Hugo von Hofmannsthal die Art und Weise genannt, mit der Arthur Schnitzler »alles Äußerliche, das den Fortgang der Handlung unterstützt«, in seinen Werken schildert. »Seele und Menschlichkeit« hat er selbst gefordert für einen Erzähltext, sonst wirke er »gleichsam wie gegen die Natur«. Folglich läßt er einen jeden durch sein Erzählen vor allem am inneren Erleben seiner Gestalten spontan Anteil nehmen. Selbstbefremden und Erschrecken des einen der beiden Sekundanten, als die Frau des beim Duell Getöteten diese Nachricht von dem anderen, dem zweiten erhält – dabei hatte er es übernommen, sie ihr zu überbringen, statt dessen aber mit ihr geschlafen; Ahnung und Erschütterung des Jungverheirateten, als seine Frau ihn nach vierzehntägiger Ehe mit der Mitteilung einer vielleicht möglichen Rückkehr verläßt; Erstaunen und Verzicht eines Mannes, der mit der gleichen Frau nach Jahren zum zweitenmal an der Schwelle zum Ehebruch steht – was Hugo von Hofmannsthal über den Rahmen dieser Erzählung schrieb, läßt sich mit einiger Freiheit auf alle Texte dieses Bandes übertragen: »Man sieht die Landschaft nicht, man glaubt sich in ihr zu bewegen und fühlt unmittelbar ihre Wirkung auf's Gemüt der handelnden Personen.«

Der Autor Arthur Schnitzler wurde am 15. Mai 1862 in Wien als Sohn eines Professors der Medizin geboren. Nach dem Studium der Medizin war er Assistenzarzt an der Poliklinik und dann praktischer Arzt in Wien, bis er sich mehr und mehr seinen literarischen Arbeiten widmete. Er starb am 21. Oktober 1931 als einer der bedeutendsten österreichischen Erzähler und Dramatiker der Gegenwart in Wien.

Im Fischer Taschenbuch Verlag erschien sein Gesamtwerk in 15 Einzelausgaben (Bde. 1960–1974), ›Casanovas Heimfahrt‹ (Bd. 1343), ›Jugend in Wien‹ (Bd. 2068), ›Reigen/Liebelei‹ (Bd. 7009), ›Spiel im Morgengrauen‹ (Bd. 9101), ›Fräulein Else und andere Erzählungen‹ (Bd. 9102).

Arthur Schnitzler
Der Sekundant
und andere Erzählungen

Fischer
Taschenbuch
Verlag

Ungekürzte Ausgabe
Veröffentlicht im Fischer Taschenbuch Verlag GmbH,
Frankfurt am Main, Mai 1987

Lizenzausgabe mit freundlicher Genehmigung
der S. Fischer Verlags GmbH, Frankfurt am Main

Umschlagentwurf: Jan Buchholz / Reni Hinsch
unter Verwendung eines Gemäldes von Gustav Klimt
›Die Jungfrau‹, 1913
Mit freundlicher Genehmigung
der Galerie Welz, Salzburg
Satz: Fotosatz Otto Gutfreund, Darmstadt
Druck und Bindung: Clausen & Bosse, Leck
Printed in Germany
780-ISBN-3-596-29100-3

Inhalt

Der Sekundant

Ich war damals dreiundzwanzig Jahre alt, und es war mein siebentes Duell, – nicht mein eigenes, aber das siebente, an dem ich als Sekundant teilnahm. Lächeln Sie meinetwegen. Ich weiß, es ist in unserer Zeit üblich geworden, sich über derartige Veranstaltungen lustig zu machen. Man tut nicht recht daran, meine ich, und ich versichere Sie, das Leben war schöner, bot jedenfalls einen edleren Anblick damals – unter anderem gewiß auch darum, weil man es manchmal aufs Spiel setzen mußte für irgend etwas, das in einem höheren oder wenigstens anderen Sinn möglicherweise gar nicht vorhanden oder das wenigstens den Einsatz, nach heutigem Maß gemessen, eigentlich nicht wert war, für die Ehre zum Beispiel oder für die Tugend einer geliebten Frau oder den guten Ruf einer Schwester, und was dergleichen Nichtigkeiten mehr sind. Immerhin bleibt es zu bedenken, daß man im Laufe der letzten Jahrzehnte auch für viel Geringeres völlig nutzlos und auf Befehl oder Wunsch anderer Leute sein Leben zu opfern genötigt war. Im Zweikampf hat doch immer das eigene Belieben mitzureden gehabt, auch dort, wo es sich scheinbar um einen Zwang, um eine Konvention oder um Snobismus handelte. Daß man überhaupt mit der Möglichkeit oder gar der Unausweichlichkeit von Duellen innerhalb eines gewissen Kreises wenigstens rechnen mußte, – das allein, glauben Sie mir, gab dem gesellschaftlichen Leben eine gewisse Würde oder wenigstens einen gewissen Stil. Und den Menschen dieser Kreise, auch den nichtigsten oder lächerlichsten, eine gewisse Haltung, ja den Schein einer immer vorhandenen Todesbereitschaft, – wenn Ihnen dieses Wort auch in solchem Zusammenhang doch allzu großartig erscheinen sollte.

Aber ich schweife ab, noch ehe ich angefangen habe. Ich wollte Ihnen ja die Geschichte meines siebenten Duells erzählen und Sie lächeln wie vorher, weil ich wieder von meinem Duell spreche, obwohl ich doch, wie es nun einmal meine Bestimmung war, auch in diesem Fall nur Zeuge, aber nicht Duellant gewesen bin. Schon mit achtzehn Jahren, als Kavalleriefreiwilliger, war ich zum ersten Male Sekundant in einer Ehrenaffärre zwischen einem Kameraden und einem Attaché der französischen Gesandtschaft. Bald darauf wählte mich der berühmte Herrenreiter Vulkovicz zu seinem Sekundanten in dem Duell mit dem Fürsten Luginsfeld und auch weiterhin, trotzdem ich weder Adeliger noch Berufsoffizier, ja sogar jüdischer Abstammung war, wandte man sich ganz besonders in schwierigen Fällen, wenn man eines Sekundanten bedurfte, mit besonderer Vorliebe an mich. Ich will gar nicht leugnen, daß ich es zuweilen ein wenig bedauerte, diese Dinge immer nur sozusagen als Episodist mitzumachen. Recht gern wäre ich einmal selbst einem gefährlichen Gegner gegenübergestanden und weiß nicht einmal, was ich im Grunde vorgezogen hätte – zu siegen oder zu fallen. Aber es kam niemals dazu, obzwar es wahrlich nicht an Gelegenheiten fehlte und wie Sie sich wohl denken können, an meiner Bereitwilligkeit niemals der geringste Zweifel bestand. Vielleicht war übrigens das mit ein Grund, daß ich niemals eine Forderung erhielt, und daß in den Fällen, wo ich mich zu fordern genötigt sah, die Angelegenheiten stets ritterlich beigelegt wurden. Jedenfalls Sekundant war ich mit Leib und Seele. Das Bewußtsein, gewissermaßen mitten in ein Schicksal oder besser an die Peripherie eines Schicksals gestellt zu sein, hatte stets etwas Bewegendes, Aufrührendes, Großartiges für mich.

Dieses siebente Duell aber, von dem ich Ihnen heute erzählen will, unterschied sich von allen meinen andern, früheren und späteren dadurch, daß ich von der Peripherie gleichsam in den Mittelpunkt rückte, daß ich aus der Episodenfigur eine Hauptperson wurde, und daß bis zum heutigen Tage kein Mensch von dieser sonderbaren Geschichte etwas erfahren hat. Auch Ihnen mit Ihrem ewigen Lächeln hätte ich nichts davon erzählt, – aber da Sie ja in Wirklichkeit gar nicht existieren, so werde ich Ihnen auch weiterhin die Ehre erweisen, zu Ihnen zu reden, junger Mann, der immerhin so viel Takt besitzt, zu schweigen.

So ist es auch ziemlich gleichgültig, wie und wo ich anfange. Ich erzähle die Geschichte, wie sie mir in den Sinn kommt, und beginne bei dem Augenblick, der mir zuerst in den Sinn kommt, also in dem, da ich in Gesellschaft des Doktor Mülling in den Zug stieg. Nämlich, um keinerlei Mißtrauen zu erregen, vor allem bei der jungen Gattin Eduards, verließen wir schon Montag vormittag den Villenort am See, ja, wir trieben die Vorsicht so weit, am Schalter Billetts bis Wien zu nehmen, stiegen aber natürlich in dem Bahnhof des Städtchens aus, wo am nächsten Morgen das Duell stattfinden sollte.

Doktor Mülling war ein langjähriger, fast gleichaltriger Freund Loibergers, fünfunddreißig etwa. Was mich anbelangt, verdankte ich die Ehre, zum anderen Zeugen auserwählt zu sein, außer meiner schon erwähnten allgemeinen Eignung dazu, dem Umstand, daß ich meine Ferien in der gleichen Sommerfrische verbrachte wie Loiberger und in seiner Villa ziemlich oft zu Gast war. Sonderlich sympathisch war er mir nie gewesen, aber das Haus war gesellig, viele angenehme Menschen gingen aus und ein, es wurde musiziert, Tennis gespielt, gemeinsame Ausflüge und Ruderpartien wurden unternommen und endlich war ich dreiundzwanzig Jahre alt. Als Ursache des Duells war mir ein Wortwechsel angegeben worden zwischen Eduard Loiberger und dem Gegner, dem Ulanenrittmeister Urpadinsky. Den kannte ich kaum. Sonntags war er am See gewesen, besuchsweise aus seiner Garnison, offenbar nur zum Zwecke jenes Wortwechsels, der als Vorwand für das Duell dienen sollte, aber im Jahr vorher hatte er den ganzen Sommer mit seiner Frau hier verbracht.

Die Erledigung der Angelegenheit war den beiden Herren offenbar sehr eilig. Die Besprechung zwischen den Sekundanten hatte schon am Sonntag abend, wenige Stunden nach jenem Wortwechsel, und zwar in Ischl, stattgefunden. Mülling und ich waren von Loiberger angewiesen, die Bedingungen der gegnerischen Sekundanten ohne Widerrede zu akzeptieren; sie waren schwer.

Also am Montag kamen Mülling und ich in der kleinen Stadt an.

Wir besichtigten vor allem das Terrain, das zu dem Rendezvous-Platz für morgen bestimmt worden war. Auf einer kleinen Spazierfahrt, die sich daran schloß, sprach Mülling von seinen Reisen, längst verflossenen Universitätsstudien, Studentenmensuren, Professoren, Prüfungen, Villenbauten, Meisterschaften im Rudersport und allerlei zufälligen gemeinsamen Bekannten. Ich stand damals vor meinem letzten Staatsexamen. Mülling war ein schon recht bekannter Anwalt. Von dem, was für morgen bevorstand, redeten wir wie auf Verabredung kein Wort. Von den Gründen des Duells wußte Doktor Mülling zweifellos mehr, als er mir anzuvertrauen für gut fand.

Am Abend kam Eduard Loiberger an. Er hatte seinen Sommeraufenthalt unter dem Vorwand geplanter Klettertouren in den Dolomiten unterbrochen, wozu eben jetzt ein wundervolles Augustwetter glaubwürdigen Anlaß bot. Wir begrüßten ihn harmlos und brachten ihn in den altberühmten Gasthof auf dem Marktplatz, wo wir ihm das beste Zimmer hatten reservieren lassen. Wir nahmen zusammen im Gastzimmer das Abendessen, plauderten angeregt, tranken, rauchten und fielen in keiner Weise auf, auch nicht den paar Offizieren, die an einem Tisch in der gegenüberliegenden Ecke saßen. Vollkommen sachlich berichtete Doktor Mülling von dem Terrain, auf dem das Duell morgen stattfinden sollte. Es war die übliche Waldlichtung, wie vom Schicksal zu solchen Dingen ausersehen – und ein kleines Wirtshaus lag ganz nahe, darin, wie Mülling heiter bemerkte, schon manches Versöhnungsfrühstück stattgefunden hatte. Dies aber war die einzige Anspielung auf den Zweck unserer Anwesenheit; im übrigen sprachen wir von der für den nächsten Sonntag bevorstehenden Segelregatta, an der auch Loiberger, der Sieger vom vorigen Jahr, teilnehmen sollte – von einem geplanten Zubau für seine Villa, zu dem er, von Beruf Fabrikant, aber Dilettant auf allen möglichen anderen Gebieten, selbst den Grundriß entworfen hatte –

von einer der Vollendung nahen Drahtseilbahn auf einen nahen Gipfel, deren Trassierung Loiberger bemängelte – von einem Prozeß, den Doktor Mülling für ihn zu führen hatte und in dem beträchtliche Vermögenswerte auf dem Spiel zu stehen schienen – und von mancherlei anderem, bis Doktor Mülling gegen elf Uhr mit lauem Lächeln bemerkte: »Es wäre vielleicht Zeit, zu Bett zu gehen, schadet nie bei solchen Gelegenheiten, wenn man gut ausgeruht ist, auch nicht den Sekundanten.« Wir verabschiedeten uns von Loiberger und schickten ihn zu Bette, wir beiden anderen aber spazierten in der schönen, warmen Sommernacht noch ein Stündchen in der kleinen Stadt herum. Von diesem nächtlichen Gang ist mir nichts anderes in Erinnerung geblieben als ein tiefschwarzer Schlagschatten, den die Häuser auf dem Hauptplatz auf das mondbeglänzte Pflaster warfen, und nichts von unseren Gesprächen. Ich weiß nur, daß wir von dem morgigen Duell überhaupt nichts geredet hatten.

Deutlich entsinne ich mich aber der Wagenfahrt am nächsten Morgen, ja, noch tönt mir gleichsam das Hufgeklapper der Rosse nach, die uns über die staubige Straße zur Waldlichtung brachten. Loiberger sprach mit übertriebener

Wichtigkeit von einer gewissen, in Mitteleuropa neu eingeführten japanischen Strauchart, die er auch in seinem eigenen Garten anzupflanzen beabsichtigte und aus dem Wagen sprang er mit jener Elastizität, die man damals in Zeitungsnotizen immer wieder als besonderes Attribut regierender Fürsten erwähnt las. Das fiel mir ein und ich lächelte unwillkürlich. Loiberger sah mich in diesem Augenblick an und ich schämte mich ein wenig.

Das Duell selbst ist mir beinahe wie ein Marionettenspiel im Gedächtnis geblieben; als Marionette lag Eduard Loiberger da, als die Kugel seines Gegners ihn auf den Boden hingestreckt hatte, und eine Marionette war auch der Regimentsarzt, der den Tod feststellte, ein hagerer, ältlicher Mann mit polnischem Schnurrbart. Der Himmel über uns war wolkenlos, aber von einem merkwürdigen matten Blau. Ich sah auf die Uhr – es fehlten zehn Minuten auf acht. Das Protokoll und die sonst üblichen Formalitäten waren rasch erledigt. Eigentlich war ich froh, daß wir noch die Möglichkeit hatten, den Neun-Uhr-Schnellzug zu erreichen, es wäre unerträglich gewesen, auch nur eine Stunde länger in der unglückseligen Stadt bleiben zu müssen.

Auf dem Perron gingen wir schweigend und ziemlich unbemerkt auf und ab – zwei elegante Touristen auf einer Sommerreise; dann, während ich einen Kaffee trank, berichtete Mülling aus einer Zeitung, daß in den nächsten Tagen der König von England und sein Premierminister zum Besuche unseres Kaisers in Ischl erwartet würden. Wir gerieten in ein politisches Gespräch – es war eher ein Vortrag von Doktor Mülling, den ich nur überflüssigerweise durch ziemlich verständnislose Einwürfe unterbrach. Als der Wiener Zug einlief, atmete ich erleichtert auf, ungefähr so, als könne nun alles Geschehene ungeschehen und Loiberger wieder lebendig werden. In unserem Abteil blieben wir allein; erst nach langem Schweigen bemerkte Doktor Mülling wie zur Entschuldigung, daß er nicht schon früher gesprochen: »Man faßt es nicht gleich, so sehr man auch vorbereitet gewesen sein mag.« Dann sprachen wir beide von allerlei anderen Zweikämpfen, an denen wir als Sekundanten beteiligt gewesen waren, harmlosen und weniger glücklichen – keiner von uns hatte bisher ein tödliches Duell mitgemacht. Wir behandelten das heutige, so traurig beendete, zuerst keineswegs sentimental, sondern eher vom ästhetisch-sportlichen Standpunkt.

Loiberger, wie nicht anders zu erwarten war, hatte sich famos gehalten, der Rittmeister war minder ruhig und viel blässer gewesen, ja, man hatte deutlich gemerkt, daß vor dem ersten Kugelwechsel seine Hand zitterte. Beide schossen zugleich, keine Kugel traf; beim zweiten Gang war die Kugel des Rittmeisters hart an Loibergers Schläfe vorbeigegangen und Loiberger hatte unwillkürlich nach der Stelle hingefaßt und nachher gelächelt. Beim dritten Gang aber, gleich nach dem Kommando, war er niedergesunken, noch ehe er selbst gefeuert hatte.

Und nun erst, als wäre er von einem gegebenen Worte entbunden, bemerkte Doktor Mülling: »Die Wahrheit zu sagen, ich habe es kommen gesehen; allerdings hatte ich es schon im vorigen Jahr erwartet. Beide, sowohl unser Freund Loiberger als Frau von Urpadinsky – Sie haben ja die Frau des Rittmeisters nie gesehen, schade – benahmen sich so unvorsichtig als nur möglich. Der ganze Ort wußte von der Sache, nur der Rittmeister selbst, obwohl er gar nicht selten aus seiner Garnison zu Besuch nach St. Gilgen kam, hatte keine Ahnung. Erst im Winter soll er anonyme Briefe erhalten haben, dann ging er der Sache nach und endlich, offenbar unter der ewigen Marter seiner Fragen, scheint seine Frau gestanden zu haben. Dann machte sich das übrige von selbst.«

»Unbegreiflich«, sagte ich.

»Inwiefern unbegreiflich?« fragte Mülling.

»Wenn man eine solche Frau hat wie Loiberger – ich hielt es für die glücklichste Ehe.« Ich sah Frau Agathe vor mir, die aussah wie ein junges Mädchen, wie eine Braut, wahrhaftig, wenn man sie beide zusammen sah, Eduard und Agathe, hätte man sie eher für ein Liebespaar halten können – nach einer vier- oder fünfjährigen Ehe – als für ein Ehepaar. Der Ausflug vor vierzehn Tagen auf den Eichberg, als wir mittags in der Sonne lagerten – wir waren sieben oder acht Personen – eigentlich hasse ich ja diese Massenausflüge und ich für meinen Teil hatte mich nur wegen Mademoiselle Coulin angeschlossen –, Agathe schien zu schlummern oder sie schloß nur die Augen, weil die Sonne sie blendete, er strich ihr mit den Fingern über Haar und Stirn, sie lächelten und flüsterten wie ein junges verliebtes Paar.

»Und glauben Sie«, sagte ich zu Mülling, »daß Frau Agathe irgend etwas geahnt hat?«

Mülling zuckte die Achseln. »Ich glaube nicht. Jedenfalls hat sie von dem bevorstehenden Duell nichts geahnt und weiß bis zu dieser Stunde nicht, daß ihr Mann tot ist.«

Jetzt erst mit einer Art von Schrecken verspürte ich, daß uns der fahrende Zug der unglücklichen Frau immer näher brachte. »Wer soll es ihr sagen?« fragte ich.

»Es wird wohl nichts übrig bleiben, als daß wir beide –«

»Wir können unmöglich zu zweit antreten wie Komiteemitglieder«, dachte ich, »die eine Balleinladung überbringen.«

»Wir hätten doch gleich von dort aus telegrafieren sollen«, sagte ich laut.

»Die Depesche«, sagte Mülling, »hätte ja doch nur eine Art von Vorankündigung sein können. Über die mündliche Berichterstattung kommen wir doch nicht weg.«

»Ich will es übernehmen«, sagte ich.

Darüber gab es dann noch eine längere Diskussion. Sie war noch nicht zu Ende, als unser Zug im Bahnhof Ischl einfuhr. Es war ein herrlicher Sommertag, auf dem Bahnsteig ein Gedränge von Ankommenden, Ausflüglern, Erwartenden, – auch Bekannte waren darunter, es war nicht ganz leicht, aus dem Stationsgebäude ungehindert auf die Straße zu gelangen, aber endlich saßen wir im

Wagen, ohne daß einer an uns herangekommen wäre und sausten auch schon davon. Der Staub wirbelte hinter uns her, die Sonne brannte heftig, wir waren froh, als der Ort hinter uns lag und wir auf die Landstraße und bald in den Wald bogen.

Noch ehe wir von der letzten Straßenbiegung aus die ersten Bauernhäuser des Dorfes erblickten, hatte sich Doktor Mülling damit einverstanden erklärt, daß ich als der Fernerstehende Frau Agathe Loiberger die Trauernachricht bringen sollte.

Der See lag da, glitzernd von tausend winzigen zerrissenen Sonnen. Vom gegenüberliegenden Ufer her, das im Dunste der Überhelligkeit sich verschleierte, näherte sich spielzeughaft das putzige Dampfschiff, dessen Schaukelwellen das badende junge Volk sich immer entgegenfreute. Bald hielten wir vor dem Gasthof, der sich ohne zureichenden Grund als »Grand Hotel« bezeichnete; ich stieg aus, Doktor Mülling ließ sich von dem Kutscher weiterfahren zu der Villa, in der er ein Zimmer gemietet hatte, drückte mir die Hand und erklärte, daß er mich um vier Uhr nachmittag aufsuchen wolle.

Ich vertauschte den Touristenanzug, der mir für meine Mission doch wenig angemessen schien, mit einem dunkelgrauen und wählte mit Bedacht eine schwarzgestreifte Krawatte. Ich war am Ende nur auf meinen Geschmack, ja auf meine Intuition angewiesen, denn für einen Besuch, wie er mir bevorstand, gab es begreiflicherweise keine allgemein gültigen Vorschriften. Bedrückten Herzens machte ich mich auf den Weg.

Seitab hinter dem Gasthof führte ein abkürzender Pfad mit gelegentlichen Ausblicken auf den See an etlichen kleineren Landhäusern vorbei zu der weißen, für meinen Geschmack etwas zu großartigen Villa, die Loiberger, natürlich nach eigenen Angaben, für sich hatte erbauen lassen. Ich ging übertrieben langsam, damit nicht gleich ein zu rascher Atem mich verriete, doch fühlte ich mich im ganzen ziemlich ruhig oder wenigstens gefaßt. Ich sagte mir, daß ich einfach eine Pflicht zu erfüllen hatte – das wollte ich in möglichst guter Haltung tun; von meiner innerlichen Beteiligung durfte ich nicht mehr merken lassen, als gute gesellschaftliche Form forderte und erlaubte.

Das Gartentor stand offen, das kunstvoll geordnete Blumenparterre leuchtete bunt, auf den weißen Bänken rechts und links lag die Sonne, über die breite Veranda mit den grellroten Korbsesseln war die rotweißgestreifte Markise gespannt, darüber im ersten Stockwerk standen die Fenster offen, der kleine Balkon vor der Mansarde lag im schiefen Sonnenglanz. Kein Mensch war zu sehen. Alles ringsum war still, nur der Kies unter meinem Schritt knirschte überlaut, wie mir schien. Die Speisestunde war nah, vielleicht saß man schon beim Mittagmahl, vielmehr Agathe allein, denn Eduard befand sich ja auf einer Dolomitentour. Ja, dies war mein erster Gedanke, noch ehe es mir schreckhaft zu Bewußtsein kam, daß er zu dieser Stunde in der Leichenkammer einer kleinen Garnisonsstadt aufgebahrt lag. Und plötzlich empfand ich, was mir für die nächsten Minuten bevorstand, als so grotesk, so unerträglich, so undurchführbar, daß ich mich ernstlich versucht fühlte, umzukehren, noch ehe mich jemand erblickt, ja einfach davonzulaufen, Doktor Mülling zu holen und ihm zu erklären, daß ich unmöglich allein Frau Agathe die grauenvolle Nachricht zu überbringen imstande war.

Da trat aus dem Dunkel des Innenraums der Diener auf die Veranda und grüßte. Offenbar hatte er meine Schritte von innen gehört. Es war ein junger, blonder Mensch in einer blauweißgestreiften Leinenjacke, ging ein paar Stufen hinab mir entgegen und er sagte:

»Die Herrschaften sind nicht zu Hause. Der gnädige Herr ist schon gestern fortgefahren und die gnädige Frau ist noch am See unten.« – Da ich nicht Miene machte, mich zu entfernen, fügte er hinzu: »Aber wenn Herr von Eißler sich vielleicht gedulden wollen – die gnädige Frau muß jeden Moment da sein.«

»Ich werde warten.«

Der Diener schien einigermaßen verwundert, vielleicht fiel ihm die Starrheit, der unverständliche Ernst meiner Züge auf, und mit rasch erkünstelter Leichtigkeit sah ich auf die Uhr und bemerkte: »Ich hab' der gnädigen Frau nur etwas zu bestellen«, und wiederholte: »Ich werde warten.«

Der Diener nickte, ging voraus, rückte einen Sessel zur Seite, der die Mitteltüre zum Salon verstellte, ließ mich vorbei, wies mit einer unbestimmten Geste auf die verschiedenen Sitzgelegenheiten ringsum, verschwand im Nebenzimmer, wo der Tisch zu sehen war, blitzblank mit zwei Gedecken, schloß die Tür hinter sich und ließ mich allein.

Wie ein in Haft Gesetzter vor schwerer Einvernahme stand ich in dem sommerlichen, aber kühl durchschatteten Raum. In ebenholzener

Schwärze den Raum beherrschend, stand das Piano da und weckte die Erinnerung an den letzten, noch nahen Musik-Abend, den ich hier verbracht hatte. Agathe begleitete ihre Freundin Aline zu einem Schubert'schen Lied. Ich sah ihre schmalen Finger über die Tasten schweben, ja, ich glaubte beinahe, Alinens Stimme zu hören: »Dir Blumen und Kränze, Sylvia ...« Später, während die übrige Gesellschaft noch im Salon geblieben war, saß ich draußen im Garten, allein, von der lauen Nachtluft, der Musik und wohl auch von dem Champagner, der bei den Gesellschaften im Hause Loiberger selten fehlte, leicht benommen, ja beglückt. Vielleicht schlummerte ich sogar; und wie durch einen Traum spazierte Agathe mit irgendeinem Herrn an mir vorbei. Ich saß im Dunkel, so bemerkten sie mich anfangs gar nicht. Plötzlich aber entdeckte mich Agathe, und im Vorübergehen glitt sie, wie zum Spaß, mit der Hand durch meine Haare, brachte sie in Unordnung und war wieder davon. Das fiel mir weiter nicht auf. Denn in dieser Weise benahm sie sich manchmal. Recht ungezwungen, aber immer mit wundervoller Anmut – wie sie auch die meisten Freunde des Hauses selten beim Namen oder gar mit einem Titel zu nennen pflegte, sondern für jeden irgendeine Bezeichnung gefunden hatte, die keineswegs immer zu dessen Art und Wesen passen mochte, ja oft geradezu das Gegenteil oder überhaupt nichts ausdrückte. Mich zum Beispiel – und das hatte einen gewissen Sinn, denn ich sah damals mit meinen dreiundzwanzig Jahren noch jünger aus, als ich war – nannte sie »das Kind«. – Ich blieb ruhig auf meiner Bank im Dunkel sitzen und wartete, daß die beiden wieder an mir vorüberkämen; was früher geschah, als ich es eigentlich erwartet hatte. Und nun nickte Agathe mir zu, ohne daß sie doch meine Züge deutlich zu erkennen imstande war. Das tat sie oft: zum Gruß immer gleich ein paarmal rasch hintereinander zu nicken. In dieser Art hatte ich sie grüßen gesehen, wenn sie in der Schwimmanstalt am Geländer lehnte, in ihren blauen Bademantel gehüllt; so auf Spaziergängen, wenn ein Bekannter ihr begegnete; in gleicher Weise aber nickte sie Blumen zu, ehe sie sie pflückte, und ebenso grüßte sie eine Almhütte, ehe sie eintrat; es schien ihr eingeboren, also mehr als eine Gewohnheit, sich mit allen Menschen und Dingen, zu denen sie in eine noch so flüchtige Beziehung trat, durch einen Gruß gleichsam persönlich bekannt zu machen. Dieser ihrer Eigenart ward ich mir jetzt erst so deutlich und zum erstenmal bewußt, während ich im sommerlich durchschatteten Salon ihr Kommen erwartete, und meine Finger ohne Sinn mit den Fransen des indischen Schals spielten, der als Klavierdecke diente.

Plötzlich hörte ich Frauenstimmen, Schritte über den Kies, alles immer näher, dann ein Frauenlachen, dann Schritte die Stufen hinauf – und das Herz stand mir stille.

»Wer ist denn das?« rief Agathe fast ein wenig erschrocken. Aber da sie mich erkannte, fügte sie gleich heiter hinzu: »Das Kind«, und reichte mir die Hand. Ich verbeugte mich tiefer, als es sonst meine Art war, und küßte ihre Hand. Sie wandte sich gleich zu Aline, die ein wenig hinter ihr stand, und meinte: »Nun bleibt ihr gleich beide zum Essen da.« Und wieder zu mir: »Ich bin nämlich allein. Eduard ist seit gestern auf einer Bergtour.« Und mit einem nicht ganz heiteren Lachen: »Wer's glaubt!«

Indes hatte ich auch Alinen die Hand geküßt, und als ich meinen Blick wieder erhob, sah ich den ihren mit einer Art mir unerwünschten Einverständnisses lustig in mein Auge sprühen. Da standen sie nun beide, die dunkle Aline ganz in leuchtendes Gelb, die blonde Agathe in sanftes Hellblau sommerlich gekleidet, und in all ihrer Gegensätzlichkeit fast schwesterlich anzusehen. Beide trugen die breitkrempigen Florentinerhüte, wie sie damals modern waren, Agathe nahm den ihren ab und legte ihn auf das Klavier.

»Nein Liebste«, sagte Aline, »ich kann leider nicht bleiben. Ich werde daheim zum Essen erwartet.«

Agathe redete ihr wohl noch ein wenig zu, aber es klang nicht sehr überzeugend. Und während sie zu der Freundin sprach, streifte mich ein fragender, ein verheißungsvoller, ja ein so lockender Blick, daß mich beinahe schwindelte. Und ich wußte plötzlich, daß es keineswegs der erste Blick dieser Art war, den sie mir sandte. Aline verabschiedete sich. »Auf Wiedersehen, gnädige Frau«, sagte ich und war mir bewußt, daß es das erste Wort war, das ich sprach, und so hörte ich es übertrieben hell, gleichsam schmetternd durch den Raum klingen. Agathe begleitete die Freundin über die Veranda und die Stufen in den Garten hinaus.

Warum habe ich nicht gesprochen, solange Aline da war, dachte ich. Wäre es nicht tausendmal leichter gewesen? Schon im nächsten Augenblick stand Agathe wieder vor mir. »Gnädige

Frau«, begann ich, »ich habe Ihnen eine traurige Botschaft zu bringen.« – Nein, ich sprach die Worte nicht aus. Für einen, der Gedanken zu lesen vermocht hätte, wären die Worte ganz vernehmlich gewesen, doch über meine Lippen kam kein Laut. Agathe stand vor mir, das hellblaue Kleid durchleuchtete mild die tiefen Schatten des Raums, sie lächelte nicht, ja, mir war, als hätte ich ihr Antlitz niemals so ernst gesehen. Nun, da sie mit mir allein war, ich fühlte es deutlich, sollte alles, was auf Oberflächlichkeit, auf Koketterie, ja, auf etwas rein Gesellschaftliches hindeutete, ausgeschaltet sein.

»Ich freue mich ja so, daß Sie da sind«, sagte sie.

Ich erwiderte nichts, denn kein Wort wäre das rechte gewesen. Allerlei blasse Erlebnisse der letzten Tage leuchteten in meiner Seele plötzlich auf. Es fiel mir ein, wie sie sich auf jenem Ausflug neulich in meinen Arm gehängt hatte und mit mir den Waldpfad hinuntergelaufen war, dann erinnerte ich mich wieder, wie sie mir nachts im Garten mit ihren schmalen Fingern durch die Haare gefahren war, und jenes Grußwort klang mir zärtlich durch den Sinn: »Kind«. Ich hatte all das nicht verstanden, zu verstehen nicht gewagt. Denken Sie, wie jung ich war! Es war das erste Mal, daß eine schöne, junge Frau, eine Frau, die ich für eine liebende und geliebte Gattin hielt, mir das Geschenk ihres Herzens zu bieten schien. Wie hätte ich das erwarten dürfen? Und wenn sie nun ihrer Freude über mein Kommen so unverhohlen Ausdruck gab, so bedeutete das nichts anderes, als daß sie mich für ungeduldig und für verliebt genug hielt, um mit voller Überlegung die Abwesenheit ihres Gatten zu diesem unvermuteten und verwegenen Besuch zu benützen.

»Es ist serviert, gnädige Frau.«

Eine leichte Bewegung Agathens. Ich wandte mich um. Wir traten ins Nebenzimmer. Es war Agathens Boudoir, das Fenster stand offen, weiße Gardinen schlossen uns gegen draußen ab, Garten und Luft schimmerten mit unbestimmten Farben durch.

Wir saßen einander gegenüber, Agathe und ich. Der Diener, jetzt in dunkelblauem Lüstersakko mit Goldknöpfen, ging aus und ein und servierte. Es war mit erlesenem Geschmack gedeckt. Ein einfaches Mahl, und als Getränk nichts als Champagner. Unser Tischgespräch war völlig harmlos und mußte es sein, dabei aber gänzlich ungezwungen, nicht nur von ihrer, sondern auch von meiner

Seite. Doch während wir von den Alltäglichkeiten und kleinen Begebenheiten des Landlebens sprachen, von abgetanen und geplanten Ausflügen, von der bevorstehenden sonntäglichen Regatta, der voraussichtlichen Teilnahme und den Chancen Loibergers – obwohl ich keinen Augenblick vergaß, daß Eduard tot war, und daß ich nur hergekommen war, um es seiner Gattin zu berichten –, empfand ich mein Hiersein, dieses Aug in Aug-Sitzen und Sprechen mit Agathe, das leise Flattern der Fenstervorhänge, das schweigsame Erscheinen und Verschwinden des Dieners keineswegs als traumhaft, sondern eher als eine andere, geringere Art von Wirklichkeit. Aus dieser andern Wirklichkeit schrillte auch das Pfeifen des kleinen Dampfers zu uns her, in dieser Wirklichkeit wußte ich den See liegen unten im Mittagsglanz, in diese andere war auch Aline wieder zurückgekehrt, und dort lag auch der Mann, den ich heute morgens tot am Waldesrand hatte hinsinken sehen. Wirklicher als all das war, was zwischen Agathe und mir hin und her schwebte, war nicht, was sie sagte, doch der Ton ihrer Stimme, war ihr Blick, ihr Wunsch, war unser Verlangen.

Das Mahl war zu Ende. Der Diener kam nicht wieder, wir waren allein.

Agathe stand vom Tische auf, sie trat auf mich zu, nahm meinen Kopf in beide Hände und küßte mich auf die Lippen. Es war kein glühender Kuß, er war eher milde, mehr Güte als Leidenschaft war in ihm, er war geschwisterlich und doch berauschend, er war Feierlichkeit und Wollust zugleich.

Und später, von ihrem Arm umschlungen, glitt ich in tausend Träume.

Wir lagen auf einen Wiesenhang hingestreckt; es war der gleiche, auf dem sie neulich erst an Eduards Seite gelegen war. Ich wundere mich, daß sie so ruhig ist, ohne jede Angst, irgend etwas Furchtbares ist ja geschehen – ich weiß nicht was, denke auch nicht darüber nach, aber ich weiß, daß wir fort müssen, so weit als möglich. Dann sitzen wir in einem Eisenbahncoupé; das Fenster ist offen, die Vorhänge, nicht befestigt, fliegen hin und her, zerrissene Bilder wechselnder Landschaften rasen vorbei, Wälder, Wiesen, Zäune, Felsen, Kirchen, vereinzelte Bäume, unbegreiflich schnell und ohne jeden Zusammenhang. Rasch genug, niemand kann uns nach, nicht einmal die Leute, die im gleichen Zug fahren; es ist unfaßbar, aber doch ist es so. Plötzlich höre ich ihren Namen draußen rufen, ich weiß, es ist ein Telegraphenbote, der sie sucht. In mir ist nur die Angst, daß sie es hören könnte. Aber der Name klingt immer leiser, endlich verklingt er ganz, und der Zug rast weiter. Wir reisen, ja, wir reisen – wir reisen immerfort. Jetzt sind wir in einem Spielsaal – es wird wohl Monte Carlo sein. Wie kann ich nur zweifeln? Natürlich ist es Monte Carlo. Agathe sitzt am Spieltisch mitten unter anderen Leuten, sie ist schön, sie ist ganz ruhig, sie spielt, sie verliert, sie gewinnt, ich schaue nach allen Seiten aus, ob niemand da ist, der sie kennt und ihr vielleicht verraten könnte, daß ihr Gatte tot ist. Aber es sind ja lauter fremde Leute – braune, gelbe Gesichter, auch ein Indianer sitzt am Spieltisch mit einem ungeheuren roten Federnschmuck auf dem Kopf. Da steht Aline in der Türe. Wie, sie ist uns nachgereist? Nur um es ihr zu sagen? – Also fort, fort. Ich berühre Agathe an der Schulter, sie wendet sich nach mir um mit einem Blick voll Liebe. Und wieder rast der Zug mit uns davon. Durch das offene Fenster blickt irgendwer herein – wie ist das nur möglich? Er klammert sich offenbar draußen an die Fensterbrüstung. Er hält ein Stück Papier in der Hand: das Telegramm, gewiß. Ich stürze den Mann hinunter, er kollert hinab, ich weiß nicht wohin – ich seh' ihn ja auch gar nicht. Welches Glück, daß Agathe nichts bemerkt hat. Natürlich nicht. Sie hat ja ein großes englisches Journal in der Hand... und blättert darin, sieht sich die Bilder an. Wie komisch, da ist ein Bild, das den Spielsaal von früher darstellt und sie und mich unter den Spielern. Wie rasch die Nachrichten gehen. Wenn ihr Mann dieses Bild zu Gesicht bekommt – was wird mit uns geschehen? Wird er auch mich umbringen, so wie er den Rittmeister umgebracht hat?

Und mit einem Mal bin ich wieder in der Villa, in dem Zimmer, auf dem Diwan, wo ich wirklich bin. Es ist wirklich und zugleich doch ein Traum. Ich träume, daß ich wach bin, ich träume, daß meine Augen offen sind und riesengroß zu den flatternden Gardinen starren. Und ich höre Schritte, langsame Schritte von sechs Männern oder zwölf. Ich weiß, daß man jetzt die Bahre mit dem Leichnam bringt, und ich fliehe. Ich bin auf der Terrasse draußen. Ich muß hinab über die Stufen. Wo sind die Männer, wo ist die Bahre? Ich sehe sie nicht. Ich weiß nur, daß sie mir entgegenkommt und daß es mir unmöglich ist, ihr auszuweichen. Plötzlich stehe ich im Garten ganz allein, aber es ist kein wirklicher Garten, es ist einer wie aus einer Spielzeugschachtel; es ist genau der Garten, den ich vor vielen Jahren einmal zum Geburtstag geschenkt bekommen hatte. Ich habe bisher gar nicht gewußt, daß man darin auch spazieren gehen kann. Auch kleine Vögel sitzen auf den Bäumen. Die hab' ich damals nicht bemerkt. Und jetzt fliegen sie alle weg, zur Strafe, weil ich sie bemerkt habe. Und beim Gartentor steht der Diener und verbeugt sich sehr tief. Denn eben tritt Herr Loiberger persönlich herein. Er hat keine Ahnung davon, daß er tot ist und dabei hat er doch einen weißen Regenmantel an. Ich muß ihn ins Haus hineinbegleiten, damit ihm kein anderer sagt, daß er tot ist; er würde es nicht überleben, denke ich – und lache zugleich. Und schon sitzen wir auch beide beim Mittagessen, und der Diener serviert; ich wundere mich, daß Eduard sich etwas zum Essen auf den Teller nimmt – er braucht es doch nicht mehr. Ihm gegenüber sitzt Agathe, ich bin überhaupt nicht mehr vorhanden. Aber ich sitze auf dem Fensterbrett, und die Gardinen schlagen jeden Augenblick über meiner Stirn zusammen. Ich möchte so gerne sehen, mit welchen Blicken sie einander betrachten. Plötzlich höre ich seine Stimme – ach Gott, wenn ich nur sehen könnte –, und ich höre ihn ganz deutlich sagen: »Also du frühstückst mit dem Herrn, der mich erschossen hat.« Es wundert mich gar nicht, daß er das sagt, denn ich habe es ja wirklich getan. Sonderbar finde ich nur, daß er eine so dumme Bemerkung macht. Er müßte doch wissen, daß es ganz üblich ist, nach einem Duell miteinander zu frühstücken.

Wieder Schritte im Garten – die Bahre – wie seltsam, der Tote zuerst und nachher die Bahre – was für ein Snob er ist – und Trauermusik. Eine Militärkapelle? Freilich, weil er einen Rittmeister erschossen hat. Und Applaus? Natürlich – er hat die Regatta gewonnen. Ich springe rasch aus dem Fenster, laufe, so geschwind ich kann, hinunter zum See. Warum sind denn so wenig Leute da – und gar keine Boote? Nur ein ganz kleiner Kahn und in dem Kahn Agathe und ich. Agathe rudert. Nun kann sie es plötzlich. Sie hat ja neulich gesagt, daß sie gar nicht rudern kann. Und nun hat sie gar die Regatta gewonnen. Jetzt plötzlich fühle ich eine Hand am Halse, Eduards Hand. Die Ruder entgleiten Agathe. Unser Kahn treibt nur so hin. Sie verschränkt die Arme. Sie ist sehr neugierig, ob es Eduard gelingen wird, mich ins Wasser zu werfen. Wir versuchen uns gegenseitig unterzutauchen. Agathe ist gar nicht mehr neugierig. Sie treibt auf dem Kahn davon. Es ist ja doch ein Motorboot, denke ich. Ich tauche immer tiefer. Warum, warum, frage ich mich, und ich will zu Loiberger sagen: Es ist ja gar nicht der Mühe wert, daß wir einander wegen einer solchen Frau umbringen. Aber ich sage es nicht, am Ende würde er glauben, daß ich mich fürchte. Und ich tauche wieder empor. Der Himmel ist so unendlich groß, wie ich ihn noch niemals gesehen. Und wieder sinke ich hinab und noch tiefer als vorher. Ich müßte ja gar nicht, ich bin ja allein, der ganze See gehört mir. Und der Himmel dazu. Und wieder tauche ich empor aus Flut und Tod und Traum. Ja, so tief ich gewesen, so unerbittlich komm' ich wieder empor, und plötzlich bin ich wach – vollkommen wach, wacher als je. Agathe aber schlief, jedenfalls lag sie mit geschlossenen Augen da. Die Gardinen bewegten sich stärker in dem Sommerwind, der um diese nachmittägige Stunde immer vom See heranzuwehen pflegte. Es konnte ja noch nicht spät sein. Nach dem Stand der Sonne kaum mehr als vier, die Stunde also, in der Mülling mich im Hotel aufsuchen wollte. War dies auch noch Traum? Alles vielleicht? Auch das Duell? Und Loibergers Tod? War es vielleicht Morgen und ich schlief – ich in meinem Zimmer im Hotel? Dies aber war gleichsam mein letzter

Fluchtversuch. Ich konnte nicht zweifeln, ich war wach, und hier lag Agathe und schlief, und sie wußte nichts. Nun hatte ich nur mehr die Wahl, auf und davon zu fliehen, in dieser Sekunde noch – oder reden, ohne noch eine Sekunde zu zögern, Agathe aufwecken und reden. Jeden Augenblick konnte die Nachricht da sein. Hörte ich nicht schon Schritte im Garten? War es nicht fast ein Wunder, daß wir bisher nicht gestört worden waren? Und in jedem Fall, wenn in diesem Haus, wenn hier im Ort noch keiner etwas wußte, blieb es nicht ein unfaßbarer Leichtsinn in diesem doch von überallher zugänglichen Gemach, nun, da die Zeit der allgemeinen Nachmittagsruhe vorbei war, noch weiter zu verweilen? Ich selbst hatte mich rasch erhoben – nun, als ich eben Agathe an der Schulter berühren wollte, als hätte mein Blick sie erweckt, blinzelte sie, strich sich mit der Hand über die Stirn und über die Haare, sah einem kleinen Mädchen ähnlich, das sich den Schlaf aus den Augen reibt, und sie sah mich gewiß nicht anders als wie ein entschwindendes Traumbild. Dann aber hörte sie meine Stimme, denn unwillkürlich hatte ich ihren Namen geflüstert, jetzt beschattete sich ihr Antlitz, sie sprang auf, strich sich das Kleid zurecht, strich auch die Kissen glatt und legte sie in flüchtiger Ordnung hin. Dann wandte sie sich rasch zu mir und sagte nichts anderes als: »Geh!« Ich aber blieb wie angewurzelt stehen, völlig unfähig, ihr zu sagen, was ich sagen mußte, ja unfähig, überhaupt ein Wort zu reden. Welch ein Feigling war ich! – Mich umbringen, nichts anderes blieb mir übrig. Aber ich konnte ja nicht einmal einen Schritt tun. Und nur ihren Namen brachte ich jetzt wieder hervor, lauter, flehender als vorher. Sie faßte zart meine Hand und sprach weiter: »Ich liebe dich sehr. Ich habe es nicht gewußt, wie sehr ich dich liebe. Du mußt es ja nicht glauben. Aber warum sollte ich es dir sagen, wenn es nicht so wäre. Du sollst es nur wissen, ehe du gehst.«

»Wann seh' ich dich wieder?« fragte ich. Ich sagte nicht: Eduard ist tot. Ich sagte nicht: Verzeih' mir. Ich sagte nicht: Ich war zu feig, um es dir gleich zu sagen. Nein, ich fragte: »Wann seh' ich dich wieder?«, als gäbe es keine andere Frage, die jetzt zu beantworten wäre, als gäbe es kein anderes Wort zu sagen.

»Du wirst mich nie wieder sehen«, sagte sie. »Wenn du mich lieb hast, wirst du dieser Stunde dankbar sein wie ich. Wenn du nicht willst, daß diese Stunde aus einem wunderbaren, unvergeßlichen Traum eine trübe Wirklichkeit, eine Lüge, hundert Lügen, eine Kette von Betrug und Häßlichkeit werde, dann geh, geh gleich, reise ab und versuche niemals, mich wiederzusehen.«

In mir raunte es: Eduard ist tot – dein Mann ist tot, alles, was du sprichst, ist Unsinn, und du ahnst es nicht. Es gibt keine Lüge, keinen Betrug, keine Häßlichkeit mehr, du bist frei. – Aber all das sagte ich nicht, alles wurde plötzlich so klar in mir, wie ich es noch vor einer Minute nicht für möglich gehalten hätte. Und ich sagte: »Es ist kein Betrug, es ist keine Lüge. Betrug und Lüge wäre es nur, wenn du nach dieser Stunde noch länger in diesem Hause bliebst und wieder einem andern gehörtest.« Es war mir, als bekäme jener Reisetraum von früher Gewalt über mich, oder als bekäme ich Macht über ihn.

Agathe erblaßte. Sie sah mich an, und ich fühlte, daß mein Antlitz ganz starr geworden war. Sie berührte meinen Arm, als wollte sie mich beruhigen. »Wir wollen doch vernünftig sein«, sagte sie. »Oder wir wollen es wenigstens wieder werden. Ich liebe dich, ja, aber ich gehöre nicht dir, so wenig wie du mir. Wir wissen es ja beide. Es war nur ein Traum, ein Wunder, ein Glück, unvergeßlich, ja, aber vorbei.«

Ich schüttelte heftig den Kopf. »Alles, was *vor* dieser Stunde war, ist vorbei, diese Stunde aber hat alles geändert. Du kannst dem andern nie wieder gehören, du gehörst mir allein.«

Noch immer hielt sie meinen Arm berührt, ja nun ergriff sie ihn, hielt ihn fest. Ja, sie bewegte ihn leise hin und her, als hoffte sie, mich damit aus einer unbegreiflichen Verstörung, aus einem Wahn zu erwecken. Meine Augen aber blieben starr, ich wußte, daß kaum Liebe in ihnen war, nur Wille, Drohung beinahe. Und ich merkte, daß ihre Angst wuchs, und so versuchte sie's nun mit einem scherzhaften Ton: »Kind«, sagte sie, »hab ich nicht recht gehabt? Ich habe schon immer gewußt, warum ich dich Kind nenne. Soll ich nun vernünftig sein für uns beide? Leicht ist es ja nicht. Nicht einmal für mich allein. Aber wir müssen, wir müssen verständig sein.«

»Warum müssen wir?« fragte ich hartnäckig und haßte mich zugleich.

»Wir müssen«, sagte sie, und in immer steigender Angst war sie gleich mit den stärksten, den unwidersprechlichsten Argumenten zur Stelle: »Wir müssen vernünftig sein und dürfen uns nicht verraten, weil du verloren wärst, wenn er ahnte...«

Ich lächelte. Ich konnte nicht anders. Aber ihre Entgegnung, ihre Warnung, der Versuch, mir Angst vor dem Toten einzuflößen, wirkte auf mich nicht nur grauenhaft, sondern wie mit einer unergründlichen Komik. Es lag mir in diesem Augenblick gar nicht fern, irgend etwas Teuflisches zu erwidern, der ganzen Unerträglichkeit, der Furchtbarkeit dieses Gesprächs durch ein vernichtendes und zugleich erlösendes Wort ein Ende zu machen. Aber ich tat es nicht. Ich fühlte meine Ohnmacht grade in diesem Augenblick, ich fühlte, daß der Tote stärker war als ich, und wie in verzweifelter Gegenwehr vermochte ich keine andere Erwiderung zu formen, als das törichte Wort: »Und wenn das Schicksal am Ende für mich entschiede?«

Sie faßte mich an der Schulter. Angst war in ihren Augen. »Was sagst du da? Wo verirrst du dich hin? Wo verirren wir uns hin?«

Und in diesem Augenblick fühlte ich, daß sie für ihn bangte, für ihn und nicht im geringsten für mich – daß er alles, und daß ich nichts für sie war... Und in diesem Augenblick hörten wir Schritte über den Gartenkies. Nur wenige Sekunden noch blieben mir. Es war nicht möglich, ihr in diesen wenigen Sekunden zu berichten, was geschehen war und überdies noch mich zu rechtfertigen, daß ich bisher geschwiegen. Vor einigen Minuten noch hätte sie verstanden, hätte sie vielleicht verziehen. Ja, vielleicht hätte ich einen wahrhaften, einen unvergänglichen Sieg über den Toten davongetragen. Jetzt aber war ich der Gefallene, der Erschlagene, ja, in dieser Sekunde empfand ich mich selbst gleichsam wie ein Gespenst, und die Schritte draußen im Garten – so sehr ich wußte, daß jeder andere im nächsten Augenblick hier hereintreten könne, als grade er – kündigten für mich in unbegreiflicher Weise das Nahen Loibergers an; wie er es in meinem Traume getan, schritt er durch den Garten und über die Stufen zur Terrasse herauf. Aber wer immer es sein mochte, unmöglich war es, in den wenigen Sekunden, die mir blieben, Agathen zu sagen, was geschehen war, und überdies mich zu rechtfertigen, daß ich bisher geschwiegen. Unmöglicher noch, was auf dem Wege war, herankommen zu lassen, ohne sie im allergeringsten vorzubereiten. Doch nur das eine Wort drängte sich auf meine Lippen: »Erschrick nicht.« Und während ich das Wort aussprach, war mir wahrhaftig nicht anders zumute, als müßte im nächsten Augenblick ihr toter Gatte eintreten. Zuerst sah sie mich mit einem unsicheren Lächeln an, als wollte sie mir zu verstehen geben, daß ich mich nicht zu sorgen brauche, und daß ihr niemand auch nur im geringsten anmerken werde, was in der letzten Stunde vorgefallen war. Aber gleich las sie offenbar in dem verzweifelten Ernst meines Blicks, daß meine Mahnung doch etwas anderes bedeutet haben müßte als die kleinliche Besorgnis, sie könne sich etwa verraten. Sie hatte eben noch Zeit zu fragen: »Was ist geschehen?« Ich aber nicht mehr die Möglichkeit, zu antworten.

Die Schritte hallten schon im benachbarten Raum. Agathe, ohne sich nur nach mir umzuwenden, trat in den Salon, und ich folgte ihr. Aline stand da in der Türe zwischen Salon und Terrasse, streifte mich nur mit einem ratlos-verwunderten Blick, faßte die Hände der erblassenden Freundin und, in Tränen ausbrechend, schloß sie sie in die Arme. Agathens Augen aber starrten vorbei an Aline mit so unerbittlicher Frage in die meinen, als wollte sie die Antwort aus meiner Stirn saugen; ich legte den Finger an meinen Mund und spürte selbst, daß diese armselige Gebärde die Bitte an Agathe bedeutete, eher mich als sich zu verraten. In ihrem Blick aber war mehr, als ich je in einem Menschenblick gesehen: Ahnung, Wissen sogar, auch Empörung, Verstehen, Verzeihen, ja, vielleicht etwas wie Dank.

Nun stand auch Mülling in der Türe zwischen Salon und Terrasse, zwischen Schatten und Licht. Sein Auge streifte mich wie fragend. Meine Anwesenheit erklärte sich für ihn gewiß ohne weiteres so, daß ich es nicht über mich gebracht, die unglückliche Frau, nachdem ich ihr die traurige Kunde gebracht, allein zu lassen. Er trat auf sie zu und drückte ihr wortlos die Hand. Wieder suchte sie, vorbei an Mülling, meinen Blick. Niemand sprach, nicht sie, Aline nicht und nicht Mülling, ich aber, so schien mir, schwieg noch tiefer in mich hinein als die andern. Die sommerliche Stille des Gartens klang herein. Endlich sagte Agathe – und mir stand das Herz still, als sie die Lippen öffnete –: »Nun will ich«, sagte sie, »die ganze Wahrheit hören« – und da sie in den Mienen der Andern Befremden, in den meinen vielleicht einen Ausdruck des Erschreckens gewahrte, fügte sie, zu mir gewandt, in bewunderungswürdiger Ruhe hinzu: »Sie wollten mir gewiß nichts verschweigen, aber Sie haben unwillkürlich vielleicht versucht, mich zu schonen. Ich danke Ihnen. Aber glauben Sie mir, ich bin nun gefaßt genug, um alles zu hören. Berichten Sie, Doktor Mülling, von Anfang bis Ende. Ich will keine Frage stellen, ich werde Sie nicht unterbrechen«, und mit erlöschender Stimme fügte sie hinzu: »Erzählen Sie!«

Sie lehnte am Klavier, und ihre Finger spielten mit den Fransen des Schals, und mit keinem Zukken ihrer Lippen verriet sie sich oder mich, während Mülling erzählte. Aline hatte sich auf den Stuhl am Klavier sinken lassen und stützte den Kopf in die Hände. In all seiner inneren Bewegung kam Mülling die berufsmäßige Gewohnheit zustatten, wohlgesetzt vor der Öffentlichkeit zu reden. Er berichtete den Verlauf der Angelegenheit, von dem Moment an, da wir beide, Doktor Mülling und ich, Eduard am Bahnhof der kleinen Stadt erwartet hatten, bis zu dem Augenblick, da Eduard am Waldesrand tot hingesunken war, und es war mir offenbar, daß er seinen Bericht schon ein oder mehrere Male zum besten gegeben, seit wir uns am Tor seines Gasthofs voneinander getrennt hatten. Er sprach im übrigen, als hielte er ein Plädoyer für jemanden, der ein längst abgetanes, vergessenes, schon an sich nicht bedeutungsvolles Vergehen allzu schwer gesühnt hatte, und dessen Andenken von jeder Schuld freizusprechen sei. Agathen aber gelang es tatsächlich, ihn nicht mit einer Silbe zu unterbrechen. Und erst als Mülling geendet, wandte sie sich mit der Frage an ihn, ob schon irgendwelche Verfügungen an Ort und Stelle getroffen worden seien. Und als Mülling erwiderte, daß der Leichnam spätestens morgen früh von der Behörde freigegeben werden dürfte, sagte sie: »Ich werde noch heute abend zu ihm fahren.« Mülling riet ihr ab, der heutige Abendzug käme in der kleinen Garnisonsstadt erst nach Mitternacht an, sie aber sagte nur: »Ich will ihn noch heute nacht sehen«, und es war uns allen klar, daß sie sich noch heute nacht Eingang in die Totenkammer verschaffen wollte. Nun trug sich Mülling an, sie zu begleiten, es seien allerlei Dinge zu besorgen und anzuordnen, die unmöglich Agathe allein durchführen könne. Sie wehrte mit einer Entschiedenheit ab, die jede Widerrede ausschloß. »All das gehört mir zu«, sagte sie. »Erst wenn alles vorüber ist, Herr Doktor Mülling, sprechen wir uns wieder.« Ich war von Bewunderung und von Grauen zugleich erfüllt. Sie richtete kein Wort an mich. Sie wünschte nun allein zu sein, nur Aline sollte später wiederkommen, um ihr bei den Reisevorbereitungen behilflich zu sein und Weisungen für die Dauer ihrer Abwesenheit entgegenzunehmen.

Sie drückte uns allen die Hand. Mir nicht

anders als Aline und Mülling. Sie wich nicht einmal meinem Blick aus, als wir schieden.

Sie reiste tatsächlich noch am gleichen Abend ab – allein – und brachte den Leichnam ihres Gatten am nächsten Morgen nach Wien. Am Tage darauf fand das Begräbnis statt, an dem natürlich auch ich teilnahm. Agathe war an diesem Tag für niemanden zu sehen. An den See kehrte sie niemals wieder zurück.

Viele Jahre später begegneten wir einander wieder in Gesellschaft. Sie hatte indes wieder geheiratet. Niemand, der uns miteinander sprechen sah, hätte ahnen können, daß ein seltsames, tiefes, gemeinsames Erlebnis uns verband. Verband es uns wirklich? Ich selbst aber hätte jene sommerstille, unheimliche, und doch so glückliche Stunde für einen Traum halten können, den ich allein geträumt hatte; so klar, so erinnerungslos, so unschuldsvoll tauchte ihr Blick in den meinen.

Die Fremde

Als Albert um sechs Uhr früh erwachte, war das Bett neben ihm leer, und seine Frau war fort. Auf ihrem Nachttisch lag ein beschriebener Zettel. Albert langte nach ihm und las folgende Worte: »Mein lieber Freund, ich bin früher aufgewacht als du. Adieu. Ich gehe fort. Ob ich zurückkommen werde, weiß ich nicht. Leb wohl. Katharina.«

Albert ließ den Zettel auf die weiße Bettdecke sinken und schüttelte den Kopf. Ob sie nun heute wiederkam oder nicht – es war ja doch ziemlich gleichgültig. Er wunderte sich weder über Inhalt, noch über Ton des Briefes. Es war nur ein wenig früher gekommen, als er erwartet. Vierzehn Tage hatte das ganze Glück gewährt. Was lag daran? Er war bereit.

Langsam erhob er sich, warf den Schlafrock um, tat ein paar Schritte zum Fenster hin und öffnete es. Die Stadt Innsbruck lag in friedlich stillem

Morgenschein zu seinen Füßen, und in der Ferne ragten unruhige Felsen in das blaue Licht. Albert kreuzte die Arme über der Brust und sah ins Freie. Ihm war sehr weh ums Herz. Er dachte, wie doch alle Voraussicht und selbst ein vorgefaßter Entschluß ein schweres Geschick nicht leichter, sondern nur mit besserer Haltung tragen ließen. Er zögerte eine Weile. Aber was sollte er jetzt noch abwarten? War es nicht das beste, gleich ein Ende zu machen? War nicht schon die Neugier, die ihn quälte, ein Verrat an seinen Vorsätzen? Sein Los mußte sich erfüllen. Entschieden war es doch schon gewesen, als er vor zwei Jahren beim Tanze das erstemal den kühlen Hauch der geheimnisvollen Lippen seine Wange streifen fühlte.

Er erinnerte sich, wie er in jener Nacht mit seinem Freunde Vincenz nach Hause gegangen war. An alles mußte er denken, was ihm Vincenz damals erzählt hatte; und der zarte Ton früher Warnung klang ihm wieder im Ohr. Vincenz wußte mancherlei über Katharina und ihre Familie. Der Vater war als Oberst eines Artillerie-Regimentes während des bosnischen Feldzuges in den Freiherrnstand erhoben worden und fiel durch die Kugel eines Insurgenten. Ihr Bruder war Kavallerie-Leutnant gewesen und hatte sein Erbteil rasch durchgebracht; später opferte die Mutter, um den Sohn vor dem Schlimmsten zu bewahren, ihr ganzes Vermögen auf; das half aber nicht für lange, und bald darauf erschoß sich der junge Offizier. Nun stellte der Baron Maaßburg, der als Bräutigam Katharinens galt, seine Besuche in dem Hause ein. Man brachte das nicht nur mit den nunmehr erklärt ärmlichen Verhältnissen der Familie in Zusammenhang, sondern auch mit einer merkwürdigen Szene, die sich während des Leichenbegängnisses zugetragen hatte. Katharina war einem ihr bis dahin ganz unbekannten Kameraden ihres Bruders schluchzend in die Arme gefallen, als wäre er ihr Freund oder Verlobter. Ein Jahr später wurde sie von einer heftigen Schwärmerei für den berühmten Orgelspieler Banetti erfaßt. Er verließ Wien, ohne daß sie ihn jemals gesprochen hatte. Eines Morgens erzählte sie ihrer Mutter den Traum, daß Banetti zu ihnen ins Zimmer getreten, auf dem Klavier eine Fuge von Bach gespielt, dann rücklings zu Boden gestürzt und tot dagelegen war, während sich die Decke öffnete und das Klavier in den Himmel schwebte. Am selben Tage traf die Nachricht ein, daß sich Banetti in einem kleinen lombardischen Dorf von der Kirchturmspitze in den Friedhof hinabgestürzt hatte und tot zu Füßen eines Kreuzes liegen geblieben war. Bald darauf begannen sich bei Katharinen die Anzeichen einer Gemütskrankheit zu zeigen, die sich allmählich bis zu tiefster Versunkenheit steigerte; nur der dringende Widerstand der Mutter und deren fester Glaube an die Genesung Katharinens hielt die Ärzte davon ab, das Mädchen in eine Anstalt zu bringen. Ein ganzes Jahr brachte Katharina tagsüber einsam und schweigend hin; aber nachts erhob sie sich zuweilen aus dem Bette und sang einfache Lieder wie in früherer Zeit. Allmählich, zum größten Staunen der Ärzte, erwachte Katharina aus ihrem Trübsinn. Sie schien dem Leben, ja der Freude wiedergegeben. Bald nahm sie Einladungen, zuerst nur in engere Zirkel an; der Bekanntenkreis breitete sich wieder aus, und als Albert sie auf dem Weißen Kreuz-Ball kennen lernte, war sie ihm von einer solchen Ruhe des Gemütes erschienen, daß er den Erzählungen seines Freundes auf dem Heimweg nur zweifelnd zu folgen vermochte.

Albert von Webeling, der früher nicht sehr viel in der Welt verkehrt hatte, war durch den guten Namen seiner Familie, durch seine Stellung als Vize-Sekretär in einem Ministerium, leicht in die

Lage versetzt, in den Kreisen Katharinens Zutritt zu finden. Jede Begegnung vertiefte seine Neigung für sie. Katharina trug sich immer einfach, aber ihre hohe Gestalt und ganz besonders ihre einzige, ja königliche Weise, das Haupt zu neigen, wenn sie jemandem zuhörte, verlieh ihr eine Vornehmheit von ganz eigener Art. Sie sprach nicht viel, und ihre Augen pflegten oft, wenn sie in Gesellschaft war, wie in eine für die andern unzugängliche Ferne zu blicken. Die jüngeren Herren behandelte sie mit einiger Unachtsamkeit, lieber unterhielt sie sich mit reiferen Männern von Rang oder Ruf. Und, wieder ein Jahr, nachdem Albert sie kennen gelernt hatte, verlobte sie das Gerücht mit dem Grafen Rummingshaus, der eben von einer Forschungsreise in Tibet und Turkestan heimgekehrt war. Damals wußte Albert, daß der Tag, an dem Katharina einem andern die Hand zur Ehe reichte, der letzte seines Lebens sein würde, und er, dessen Dasein bis zu seinem dreißigsten Jahr unbeirrt hingeflossen war, begriff mit einem Male alle Gefahren und allen Wahnsinn, in die heftige Leidenschaft den besonnensten Mann zu stürzen vermag. Von seiner Nichtigkeit Katharinen gegenüber war er völlig durchdrungen. Er hatte sein anständiges Auskommen und konnte als Junggeselle ein recht behagliches Leben führen, aber Reichtum hatte er von keiner Seite zu erwarten. Eine sichere, aber gewiß nicht bedeutende Laufbahn stand ihm bevor. Er kleidete sich mit großer Sorgfalt, ohne jemals wirklich elegant auszusehen, er redete nicht ohne Gewandtheit, hatte aber niemals irgend etwas Besonderes zu sagen, und er war stets gerne gesehen, ohne jemals aufzufallen. Und so fühlte er, daß ein Wesen, geheimnisvoll und gleichsam aus einer andern Welt wie Katharina, sich tief zu ihm herablassen müßte, wenn er sie gewinnen wollte, und daß sie jedenfalls von ihm verlangen durfte, ein unverdientes Glück teuer zu bezahlen. Da er sich aber zu jedem Opfer bereit wußte, schien er sich auch allmählich ihrer würdig zu werden. Eines Morgens erfuhr er, daß der Graf nach Galizien abgereist war, ohne sich erklärt zu haben; mit einer Entschlossenheit, die sonst seine Art nicht wahr, hielt er den rechten Augenblick für gekommen und begab sich zu Katharina.

Wie weit schien ihm nun jene Stunde zu liegen!

Er sah das Zimmer im Schottenhof vor sich, weitläufig und gewölbt, aber niedrig, mit alten, gut gehaltenen Möbeln, sah den vereinsamten dunkelroten Fauteuil am Fenster stehen, das offene Piano mit den aufgeschlagenen Noten, den runden Mahagonitisch, darauf das Album mit dem Perlmutterdeckel und die Visitkartenschale aus Alt-Meißner Porzellan. Und er erinnerte sich, wie er in den geräumigen Hof hinuntergeblickt hatte, durch den eben viele Leute von der Palmsonntagmesse aus der gegenüberliegenden Schottenkirche kamen. Während die Glocken läuteten, trat Katharina mit ihrer Mutter aus dem Nebenzimmer herein und war nicht so erstaunt über seinen Besuch, als er eigentlich erwartete. Sie hörte ihm freundlich zu und nahm seinen Antrag an, kaum in größerer Bewegung, als wenn er die Einladung zu einem Ball überbracht hätte. Die Mutter, immer mit dem verbindlichen Lächeln der Schwerhörigen, saß still in der Diwan-Ecke und führte ihren kleinen schwarzen Seidenfächer manchmal ans Ohr. Während des ganzen Gesprächs in dem kühlen, sonntagsstillen Zimmer hatte Albert die Empfindung, als wäre er in eine Gegend gekommen, über die durch lange Zeit heftige Stürme gejagt hätten, und die nun eine große Sehnsucht nach Ruhe atmete. Und als er später die graue Treppe hinunterschritt, ward ihm nicht die beseligende Empfindung eines erfüllten Wunsches, sondern nur das Bewußtsein, daß er in eine wohl wundersame, aber ungewisse und dunkle Epoche seines Lebens eingetreten war. Und wie er so durch den Sonntag spazierte, von Straße zu Straße, durch Gärten und Alleen, den Frühjahrshimmel über sich, an manchen fröhlichen und unbekümmerten Menschen vorbei, da fühlte er, daß er von nun an nicht mehr zu diesen gehörte, und daß über ihm ein Geschick anderer und besonderer Art zu walten begann.

Jeden Abend saß er nun oben in dem gewölbten Zimmer. Zuweilen sang Katharina mit einer angenehmen Stimme, aber beinahe völlig ausdruckslos, einfache, meist italienische Volkslieder, zu denen er sie auf dem Klavier begleitete. Nachher stand er oft mit ihr bis zum späten Abend am Fenster und sah in den stillen Hof hinab, wo die Bäume grünten und knospten. An schönen Nachmittagen traf er manchmal im Belvederegarten mit ihr zusammen; dort war sie meist schon lang gesessen und hatte den Kinderspielen zugesehen. Wenn sie ihn kommen sah, stand sie auf, und dann spazierten sie auf den besonnten Kieswegen auf und ab. Anfangs redete er manchmal von seiner früheren Existenz, von den Jugendjahren im Grazer Elternhaus, von der Studienzeit in Wien, von Sommerreisen, und er wunderte sich nur über die Schattenhaftigkeit, in der beim Versuch erinnernden Gestaltens ihm selbst sein bisheriges Leben erschien. Vielleicht lag es auch daran, daß Katharina allen diesen Dingen nicht das geringste Interesse entgegenbrachte. Seltsame Dinge ereigneten sich, die an sich ohne Bedeutung sein mochten, die aber jedenfalls ohne Erklärung blieben. So begegnete Albert eines Tages um die Mittagsstunde seiner Braut auf dem Stephansplatz in Gesellschaft eines in Trauer gekleideten, eleganten Herrn, den er früher nie gesehen hatte. Albert blieb stehen, aber Katharina grüßte kühl, und ohne sich um ihn zu kümmern, ging sie mit dem fremden Herrn weiter. Albert folgte ihr eine Weile, der Herr stieg in einen Wagen, der an einer Straßenecke auf ihn wartete, und fuhr davon. Katharina ging nach Hause. Als Albert sie abends fragte, wer jener Herr gewesen wäre, sah sie ihn befremdet an, nannte einen ihm gänzlich unbekannten polnischen Namen und zog sich für den Rest des Abends auf ihr Zimmer zurück. Ein anderes Mal ließ sie abends lang vergeblich auf sich warten. Endlich erschien sie, als es zehn Uhr schlug, mit einem Strauß von Feldblumen in der Hand und erzählte, daß sie auf dem Lande gewesen und auf einer Wiese eingeschlafen sei. Die Blumen warf sie zum Fenster hinab. Einmal besuchte sie mit Albert das Künstlerhaus und stand lang mit ihm vor einem Bild, das eine einsame grüne Höhenlandschaft mit weißen Wolken drüber vorstellte. Ein paar Tage darauf sprach sie von dieser Gegend, als wäre sie in Wirklichkeit über diese Höhen gewandelt, und zwar als Kind in Gesellschaft ihres verstorbenen Bruders. Zuerst glaubte Albert, daß sie scherzte, allmählich aber merkte er, daß das Bild für sie in der Erinnerung gleichsam lebendig geworden war. Damals fühlte er, wie sich sein Staunen in ein schmerzliches Grauen zu verwandeln begann. Aber je unfaßlicher ihm ihr Wesen zu entgleiten schien, um so hoffnungslos dringender rief seine Sehnsucht nach ihr. Zuweilen gelang es ihm, sie von ihrer Jugend reden zu machen. Doch alles, was sie berichtete, Erzählungen wirklicher Geschehnisse und Geständnisse ferner Träumereien, schwebte wie im gleichen matten Schimmer vorüber, so daß Albert nicht wußte, was sich ihrem Gedächtnis lebendiger eingeprägt: jener Orgelspieler, der sich vom Kirchturm herabgestürzt hatte, der junge Herzog von Modena, der einmal im Prater an ihr vorübergeritten war, oder ein van Dyckscher Jüngling, dessen Bildnis sie als junges Mädchen in der Liechtenstein-Galerie gesehen hatte. Und so dämmerte auch jetzt ihr Wesen hin, wie nach unbekannten oder ungewissen Zielen, und Albert ahnte, daß er nichts anderes für sie bedeutete als irgend einer, dem sie in einer Gesellschaft zu einer Runde durch den Saal den Arm gereicht hätte. Und da ihm jede Kraft gebrach, sie aus ihrer verschwommenen Art des Daseins emporzuziehen, fühlte er endlich, wie ihn der verwirrende Hauch ihres Wesens zu betäuben und wie sich allmählich seine Weise zu denken, ja selbst zu handeln, aller durch das tägliche Leben gegebenen Notwendigkeit zu entäußern begann. Es fing damit an, daß er Einkäufe für den künftigen Hausstand machte, die seine Verhältnisse weit überstiegen. Dann schenkte er seiner Braut Schmuckgegenstände von beträchtlichem Wert. Und am Tage vor der Hochzeit kaufte er ein kleines Häuschen in einer Gartenvorstadt, das ihr auf einem Spaziergang gefallen hatte, und überbrachte ihr am selben Abend eine Schenkungsurkunde, durch die es in ihren alleinigen Besitz überging. Sie aber nahm alles mit der gleichen Freundlichkeit und Ruhe hin, wie früher den Antrag seiner Hand. Gewiß hielt sie ihn für reicher, als er war. Im Anfang hatte er natürlich daran gedacht, auch über seine Vermögensverhältnisse mit ihr zu reden. Er schob es von Tag zu Tag hinaus, da ihm die Worte versagten; aber endlich kam es dahin, daß er jede Aussprache über dergleichen Dinge für überflüssig hielt. Denn wenn sie über ihre Zukunft redete, so tat sie das nicht wie jemand, dem ein vorgezeichneter Weg ins Weite weist; vielmehr schienen ihr alle Möglichkeiten nach wie vor offen zu stehen, und nichts in ihrem Verhalten deutete auf innere oder äußere Gebundenheit. So wußte Albert eines Tages, daß ihm ein unsicheres und kurzes Glück bevorstand, daß aber auch alles, was folgen könnte, wenn Katharina ihm einmal entschwunden war, jeglicher Bedeutung für ihn entbehrte. Denn ein Dasein ohne sie war für ihn vollkommen undenkbar geworden, und es war sein fester Entschluß, einfach die Welt zu verlassen, sobald ihm Katharina verloren war. In dieser Sicherheit fand er den einzigen, aber würdigen Halt während dieser wirren und sehnsuchtsvollen Zeit.

Am Morgen, da Albert Katharina zur Trauung abholte, war sie ihm geradeso fremd, als an dem Abend, da er sie kennen gelernt hatte. Sie wurde die Seine ohne Leidenschaft und ohne Widerstreben. Sie reisten miteinander ins Gebirge. Durch sommerliche Täler fuhren sie, die sich weiteten und engten; ergingen sich an den milden Ufern heiter bewegter Seen und wandelten auf verlorenen Wegen durch den raunenden Wald. An manchen Fenstern standen sie, schauten hinab zu den stillen Straßen verzauberter Städte, sandten die Blicke weiter den Lauf geheimnisvoller Flüsse entlang, zu stummen Bergen hin, über denen blasse Wolken in Dunst zerflossen. Und sie redeten über die täglichen Dinge des Daseins wie andre junge Paare, spazierten Arm in Arm, verweilten vor Gebäuden und Schaufenstern, berieten sich, lächelten, stießen mit weingefüllten Gläsern an, sanken Wange an Wange in den Schlaf der Glücklichen. Manchmal aber ließ sie ihn allein, in einem matthellen Gasthofzimmer, darin alle Trauer der Fremde dämmerte, auf einer steinernen Gartenbank unter Menschen, die sich des duftenden Blütentags freuten, in einem hohen Saal vor dem gedunkelten Bild eines Landsknechts oder einer Madonna, und niemals wußte er in solcher Stunde, ob Katharina wiederkehren würde oder nicht. Denn unablässig und untrüglich in ihm wie der Schlag seines Herzens war das Gefühl, daß nichts sich geändert hatte seit dem ersten Tag, daß sie frei war wie je und er ihr völlig verfallen.

So kam es, daß ihr Verschwinden heute früh nach einer Hochzeitsreise von vierzehn Tagen, daß auch ihr seltsamer Brief ihn nur erschüttert hatte, ohne ihn eigentlich zu überraschen. Er hätte sie und sich zu erniedrigen geglaubt, wenn er geforscht hätte. Wer sie ihm genommen hatte, ob eine Laune, ob ein Traum, ob ein lebendiger Mensch, war ja völlig gleichgültig; er wußte nichts und brauchte nicht mehr zu wissen, als daß sie ihm nicht mehr gehörte. Vielleicht war es sogar gut, daß das Unvermeidliche so früh gekommen war. Sein Vermögen war durch den Kauf des Hauses auf das Geringste zusammengeschmolzen, und von seinem kleinen Gehalt konnten sie beide nicht leben. Mit ihr von Einschränkungen und von den gewöhnlichen Sorgen des Alltags zu reden, wäre ihm in jedem Fall unmöglich gewesen. Einen Moment fuhr es ihm durch den Sinn, von ihr Abschied zu nehmen. Sein Blick fiel auf die Bettdecke, wo der beschriebene Zettel lag. Der flüchtige Einfall kam ihm, auf die weiße Seite ein kurzes Wort der Erklärung hinzuschreiben. Aber in der deutlichen Empfindung, daß ein solches Wort für Katharina nicht das geringste

Interesse haben könnte, stand er wieder davon ab. Er öffnete die Handtasche, steckte seinen kleinen Revolver zu sich und gedachte, irgendwo hinaus vor die Stadt zu wandern, um dort mit Anstand, und ohne jemanden zu stören, seine Tat zu verüben.

Ein Sommermorgen von dunkelblauer Klarheit und vorzeitiger Schwüle lag über der Stadt. Albert ging geradeaus fort. Er war noch nicht hundert Schritte weit vom Hotel entfernt, als er Katharinens Gestalt vor sich erblickte. Sie hielt ihren grauseidenen Sonnenschirm in der Hand und ging langsam des Weges. Die erste Regung Alberts war, in eine andere Straße abzubiegen; aber eine Macht, die heftiger war als alle seine Vorsätze und Überlegungen, drängte ihn, ihr zu folgen, um sich nun doch die Gewißheit zu verschaffen, der er vor einer Minute noch mit Gleichgültigkeit gegenüberzustehen geglaubt hatte. Er bekam sogar einige Angst, daß sie sich umwenden und ihn entdecken könnte. Sie nahm den Weg dem Hofgarten zu, er hielt sich in gemessener Entfernung. Jetzt war sie bei der Hofkirche angelangt, deren Tor offen stand. Sie trat ein. Albert folgte ihr nach einigen Augenblicken. Er blieb in der Nähe des Einganges im tiefsten Schatten stehen; er sah, wie

Katharina langsam durch das Mittelschiff zwischen den dunklen Bildsäulen der Helden und Königinnen hindurchschritt. Plötzlich hielt sie inne. Albert entfernte sich von dem Platz, wo er bisher gewartet, und schlich in einem weiten Bogen hinter das Grabmal des Kaisers Maximilian, das gewaltig in der Mitte der Kirche ragte. Katharina stand regungslos vor der Statue des Theodorich. Die Linke auf den Degen gestützt, blickte der erzene Held wie aus ewigen Augen vor sich hin. Seine Haltung war von erhabener Müdigkeit, als sei er sich zugleich der Größe und der Zwecklosigkeit seiner Taten bewußt, und als ginge sein ganzer Stolz in Schwermut unter. Katharina stand vor der Bildsäule und starrte dem Gotenkönig ins Antlitz. Albert blieb einige Zeit in der Verborgenheit, dann wagte er sich vor. Sie hätte die Schritte hören müssen, aber sie wandte sich nicht um; wie gebannt blieb sie auf derselben Stelle. Leute kamen in die Kirche, Fremde mit roten Reisebüchern, man sprach neben ihr, hinter ihr, sie hörte nicht. Es wurde eine Weile stiller, Katharina stand wie früher, in ihrer Bewegungslosigkeit selber einer Bildsäule gleich. Eine neue Viertelstunde und wieder eine verging. Katharina rührte sich nicht.

Albert ging. Am Ausgang wandte er sich noch einmal um; da sah er, wie Katharina nahe an die Statue herangetreten war und mit ihren Lippen den erzenen Fuß berührte. Eilig entfernte sich Albert. Er lächelte. Ein Einfall kam ihm, der ihn mit einer Art von Rührung erfüllte und dessen er sich freute. Nun hatte er noch etwas für die Geliebte zu tun, bevor er dahinging. Er nahm den Weg zu einer Kunsthandlung in der Bahnhofstraße; dort fragte er, ob eine Bronzenachahmung des Theodorich in natürlicher Größe zu beschaffen sei. Ein Zufall wollte es, daß eine solche vor einem Monat fertig geworden war; der Besteller, ein Lord, war gestorben, und die Erben weigerten sich, das Kunstwerk zu übernehmen. Albert fragte nach dem Preis. Er entsprach ungefähr dem Rest seines Vermögens. Albert gab seine Wiener Adresse an und erteilte genaue Weisung, in welcher Art ein Vertrauensmann der Firma die Aufstellung im Garten des Häuschens besorgen sollte. Dann empfahl er sich, eilte durch die Stadt, nahm den Weg durch die Vorstadt Wilten gegen Igls zu, und im Wäldchen erschoß er sich, gerade als die Sonne Mittag zeigte.

Katharina kehrte erst einige Wochen nach diesem Vorfall nach Wien zurück. Indessen war

Albert in der Grazer Familiengruft beigesetzt worden. Am Abend ihrer Ankunft stand Katharina eine geraume Weile im Garten vor der Bildsäule, die unter hohen Bäumen einen schönen Platz gefunden. Dann begab sie sich in ihr Zimmer und schrieb einen längeren Brief nach Verona postlagernd an Andrea Geraldini. So hatte sich nämlich ein Herr genannt, der ihr von der Hofkirche aus gefolgt war, als sie Theodorich den Großen verlassen hatte, und von dem sie ein Kind unter dem Herzen trug. Ob das auch der richtige Name des Herrn war, erfuhr sie nie; denn sie erhielt keine Antwort.

Die Frau des Weisen

Hier werde ich lange bleiben. Über diesem Orte zwischen Meer und Wald liegt eine schwermütige Langeweile, die mir wohltut. Alles ist still und unbewegt. Nur die weißen Wolken treiben langsam; aber der Wind streicht so hoch über Wellen und Wipfel hin, daß das Meer und die Bäume nicht rauschen. Hier ist tiefe Einsamkeit, denn man fühlt sie immer; auch wenn man unter den vielen Leuten ist, im Hotel, auf der Promenade. Die Kurkapelle spielt meist melancholische schwedische und dänische Lieder, aber auch ihre lustigen Stücke klingen müd und gedämpft. Wenn die Musikanten fertig sind, steigen sie schweigend über die Stufen aus dem Kiosk herab und verschwinden mit ihren Instrumenten langsam und traurig in den Alleen.

Dies schreibe ich auf ein Blatt, während ich mich in einem Boote längs des Ufers hin rudern lasse.

Das Ufer ist mild und grün. Einfache Landhäuser mit Gärten; in den Gärten gleich am Wasser Bänke; hinter den Häusern die schmale, weiße Straße, jenseits der Straße der Wald. Der dehnt sich ins Land, weit, leicht ansteigend, und dort, wo er aufhört, steht die Sonne. Auf der schmalen und langgestreckten gelben Insel drüben liegt ihr Abendglanz. Der Ruderer sagt, man kann in zwei Stunden dort sein. Ich möchte wohl einmal hin. Aber hier ist man seltsam festgehalten; immer bin ich im nächsten Umkreis des kleinen Orts; am liebsten gleich am Ufer oder auf meiner Terrasse.

Ich liege unter den Buchen. Der schwere Nachmittag drückt die Zweige nieder; ab und zu hör' ich nahe Schritte von Menschen, die über den Waldweg kommen; aber ich kann sie nicht sehen, denn ich rühre mich nicht, und meine Augen tauchen in die Höhe. Ich höre auch das helle Lachen von Kindern, aber die große Stille um mich trinkt alles Geräusch rasch auf, und ist es kaum eine Sekunde lang verklungen, so scheint es längst vorbei. Wenn ich die Augen schließe und gleich wieder öffne, so erwache ich wie aus einer langen Nacht. So entgleite ich mir selbst und verschwebe wie ein Stück Natur in die große Ruhe um mich.

Mit der schönen Ruhe ist es aus. Nicht im Ruderboot und nicht unter Buchen wird sie wiederkommen. Alles scheint mit einem Male verändert. Die Melodien der Kapelle klingen sehr heiß und lustig; die Leute, die an einem vorbeigehen, reden viel; die Kinder lachen und schreien. Sogar das liebe Meer, das so schweigend schien, schlägt nachts lärmend an das Ufer. Das Leben ist wieder laut für mich geworden. Nie war ich so leicht vom Hause abgereist; ich hatte nichts Unvollendetes zurückgelassen. Ich hatte mein Doktorat gemacht; eine künstlerische Illusion, die mich eine Jugend hindurch begleitet, hatte ich endgültig begraben, und Fräulein Jenny war die Gattin eines Uhrmachers geworden. So hatte ich das seltene Glück gehabt, eine Reise anzutreten, ohne eine Geliebte zu Hause zu lassen und ohne eine Illusion mitzunehmen. In der Empfindung eines abgeschlossenen Lebensabschnittes hatte ich mich sicher und wohl gefühlt. Und nun ist alles wieder aus; – denn Frau Friederike ist da.

Spät abends auf meiner Terrasse; ich hab' ein Licht auf meinen Tisch gestellt und schreibe. Es ist die Zeit, über alles ins Klare zu kommen. Ich zeichne mir das Gespräch auf, das erste mit ihr nach sieben Jahren, das erste nach jener Stunde...

Es war am Strand, um die Mittagszeit. Ich saß auf einer Bank. Zuweilen gingen Leute an mir vorüber. Eine Frau mit einem kleinen Jungen stand auf der Landungsbrücke, zu weit, als daß ich die Gesichtszüge hätte ausnehmen können. Sie war mir übrigens durchaus nicht aufgefallen; ich wußte nur, daß sie schon lange dort gestanden war, als sie endlich die Brücke verließ und mir immer näher kam. Sie führte den Knaben an der Hand. Nun sah ich, daß sie jung und schlank war. Das Gesicht kam mir bekannt vor. Sie war noch zehn Schritte von mir; da erhob ich mich rasch und ging ihr entgegen. Sie hatte gelächelt, und ich wußte, wer sie war.

»Ja, ich bin es«, sagte sie und reichte mir die Hand.

»Ich habe Sie gleich erkannt«, sagte ich.

»Ich hoffe, das ist nicht zu schwer gewesen«, erwiderte sie. »Und Sie haben sich eigentlich auch gar nicht verändert.«

»Sieben Jahre...«, sagte ich.

Sie nickte. »Sieben Jahre...«

Wir schwiegen beide. Sie war sehr schön. Jetzt glitt ein Lächeln über ihr Gesicht, sie wandte sich zu dem Jungen, den sie noch immer an der Hand hielt, und sagte: »Gib dem Herrn die Hand.« Der Kleine reichte sie mir, schaute mich aber dabei nicht an.

»Das ist mein Sohn«, sagte sie.

Es war ein hübscher brauner Bub mit hellen Augen.

»Es ist doch schön, daß man einander wieder begegnet im Leben«, begann sie, »ich hätte nicht gedacht ...«

»Es ist auch sonderbar«, sagte ich.

»Warum?« fragte sie, indem sie mir lächelnd und das erstemal ganz voll in die Augen sah. »Es ist Sommer ... alle Leute reisen, nicht wahr?«

Jetzt lag mir die Frage nach ihrem Mann auf den Lippen; aber ich vermochte es nicht, sie auszusprechen.

»Wie lange werden Sie hier bleiben?« fragte ich.

»Vierzehn Tage. Dann treffe ich mit meinem Manne in Kopenhagen zusammen.«

Ich sah sie mit einem raschen Blick an; der ihre antwortete unbefangen: »Wundert dich das vielleicht?«

Ich fühlte mich unsicher, unruhig beinahe. Wie etwas Unbegreifliches erschien es mir plötzlich, daß man Dinge so völlig vergessen kann. Denn nun merkte ich erst: an jene Stunde vor sieben Jahren hatte ich seit lange so wenig gedacht, als wäre sie nie erlebt worden.

»Sie werden mir aber viel erzählen müssen«, begann sie aufs neue, »sehr, sehr viel. Gewiß sind Sie schon lange Doktor?«

»Nicht so lange – seit einem Monat.«

»Sie haben aber noch immer Ihr Kindergesicht«, sagte sie. »Ihr Schnurrbart sieht aus, als wenn er aufgeklebt wäre.«

Vom Hotel her, überlaut, tönte die Glocke, die zum Essen rief. »Adieu«, sagte sie jetzt, als hätte sie nur darauf gewartet.

»Können wir nicht zusammen gehen?« fragte ich.

»Ich speise mit dem Buben auf meinem Zimmer, ich bin nicht gern unter so vielen Menschen.«

»Wann sehen wir uns wieder?«

Sie wies lächelnd mit den Augen auf die kleine Strandpromenade. »Hier muß man einander doch immer begegnen«, sagte sie – und als sie merkte, daß ich von ihrer Antwort unangenehm berührt war, setzte sie hinzu: »Besonders, wenn man Lust dazu hat. – Auf Wiedersehen.«

Sie reichte mir die Hand, und ohne sich noch einmal umzusehen, entfernte sie sich. Der kleine Junge blickte aber noch einmal nach mir zurück.

Ich bin den ganzen Nachmittag und den ganzen Abend auf der Promenade hin und her gegangen, und sie ist nicht gekommen. Am Ende ist sie schon wieder fort? Ich dürfte eigentlich nicht darüber staunen.

Ein Tag ist vergangen, ohne daß ich sie gesehen. Den ganzen Vormittag hat es geregnet, und außer mir war fast niemand auf der Promenade. Ein paarmal bin ich an dem Haus vorbei, in dem sie wohnt, ich weiß aber nicht, welches ihre Fenster sind. Nachmittag ließ der Regen nach, und ich machte einen langen Spaziergang auf der Straße längs des Meeres bis zum nächsten Orte. Es war trüb und schwül.

Auf dem Wege habe ich an nichts anderes denken können als an jene Zeit. Alles habe ich deutlich wieder vor mir gesehen. Das freundliche Haus, in dem ich gewohnt, und das Gärtchen mit den grünlackierten Stühlen und Tischen. Und die kleine Stadt mit ihren stillen weißen Straßen. Und die fernen, im Nebel verschwimmenden Hügel. Und über all dem lag ein Stück blaßblauer Himmel, der so dazugehörte, als wenn er auf der ganzen Welt nur dort so blaß und blau gewesen wäre. Auch die Menschen von damals sah ich alle wieder; meine Mitschüler, meine Lehrer, auch Friederikens Mann. Ich sah ihn anders, als er mir in jenem letzten Augenblick erschienen war; – ich sah ihn mit dem milden, etwas müden Ausdruck im Gesicht, wie er nach der Schule auf der Straße an uns Knaben freundlich grüßend vorüberzuschreiten pflegte, und wie er bei Tische zwischen Friederike und mir, meist schweigend, saß; ich sah ihn, wie ich ihn oft von meinem Fenster aus erblickt hatte: im Garten vor dem grünlackierten Tisch, die Arbeiten von uns Schülern korrigierend. Und ich erinnerte mich, wie Friederike in den Garten gekommen war, ihm den Nachmittagskaffee gebracht und dabei zu meinem Fenster hinaufgeschaut hatte, lächelnd, mit einem Blicke, den ich damals nicht verstanden ... bis zu jener letzten Stunde. – Jetzt weiß ich auch, daß ich mich oft an all das erinnert habe. Aber nicht wie an etwas Lebendiges, sondern wie an ein Bild, das still und friedlich an einer Wand zu Hause hängt.

Wir sind heute am Strand nebeneinander gesessen und haben miteinander gesprochen wie Fremde.

Der Bub spielte zu unseren Füßen mit Sand und Steinen. Es war nicht, als wenn irgend etwas auf uns lastete: wie Menschen, die einander nichts bedeuten, und die der Zufall des Badelebens auf kurze Zeit zusammengeführt, haben wir miteinander geplaudert; über das Wetter, über die Gegend, über die Leute, auch über Musik und über ein paar neue Bücher. Während ich neben ihr saß, empfand ich es nicht unangenehm; als sie aber aufstand und fortging, war es mir mit einemmal unerträglich. Ich hätte ihr nachrufen mögen: Laß mir doch etwas da; aber sie hätte es nicht einmal verstanden. Und wenn ich's überlege, was durfte ich anderes erwarten? Daß sie mir bei unserer ersten Begegnung so freundlich entgegengekommen, war offenbar nur in der Überraschung begründet; vielleicht auch in dem frohen Gefühl, an einem fremden Orte einen alten Bekannten wiederzufinden. Nun aber hat sie Zeit gehabt, sich an alles zu erinnern wie ich; und was sie auf immer vergessen zu haben hoffte, ist mächtig wieder aufgetaucht. Ich kann es ja gar nicht ermessen, was sie um meinetwillen hat erdulden müssen, und was sie vielleicht noch heute leiden muß. Daß sie mit ihm zusammengeblieben ist, seh' ich wohl; und daß sie sich wieder versöhnt haben, dafür ist der vierjährige Junge ein lebendiges Zeugnis; – aber man kann sich versöhnen, ohne zu verzeihen, und man kann verzeihen, ohne zu vergessen. —— Ich sollte fort, es wäre besser für uns beide.

In einer seltsamen, wehmütigen Schönheit steigt jenes ganze Jahr vor mir auf, und ich durchlebe alles aufs neue. Einzelheiten fallen mir wieder ein. Ich erinnere mich des Herbstmorgens, an dem ich, von meinem Vater begleitet, in der kleinen Stadt ankam, wo ich das letzte Gymnasialjahr zubringen sollte. Ich sehe das Schulgebäude deutlich wieder vor mir, mitten in dem Park mit seinen hohen Bäumen. Ich erinnere mich an mein ruhiges Arbeiten in dem schönen geräumigen Zimmer, an die freundlichen Gespräche über meine Zukunft, die ich bei Tisch mit dem Professor führte und denen Friederike lächelnd lauschte; an die Spaziergänge mit Kollegen auf die Landstraße hinaus bis zum nächsten Dorf; und alle Nichtigkeiten ergreifen mich so tief, als wenn sie meine Jugend zu bedeuten hätten. Wahrscheinlich würden alle diese Tage im tiefen Schatten des Vergessens liegen, wenn nicht von jener letzten Stunde ein geheimnisvoller Glanz auf sie zurückfiele. Und das Merkwürdigste ist: seit Friederike in meiner

Nähe weilt, scheinen mir jene Tage sogar näher als die vom heurigen Mai, da ich das Fräulein liebte, das im Juni den Uhrmacher geheiratet hat.

Als ich heute frühmorgens an mein Fenster trat und auf die große Terrasse hinunterblickte, sah ich Friederike mit ihrem Buben an einem der Tische sitzen; sie waren die ersten Frühstücksgäste. Ihr Tisch war grade unter meinem Fenster, und ich rief ihr einen guten Morgen zu. Sie schaute auf. »So früh schon wach?« sagte sie. »Wollen Sie nicht zu uns kommen?«

In der nächsten Minute saß ich an ihrem Tisch. Es war ein wunderbarer Morgen, kühl und sonnig. Wir plauderten wieder über so gleichgültige Dinge als das letztemal, und doch war alles anders. Hinter unseren Worten glühte die Erinnerung. Wir gingen in den Wald. Da fing sie an, von sich zu sprechen und von ihrem Heim.

»Bei uns ist alles noch geradeso wie damals«, sagte sie, »nur unser Garten ist schöner geworden; mein Mann verwendet jetzt viel Sorgfalt auf ihn, seit wir den Buben haben. Im nächsten Jahr bekommen wir sogar ein Glashaus.«

Sie plauderte weiter. »Seit zwei Jahren gibt es ein Theater bei uns, den ganzen Winter bis Palmsonntag wird gespielt. Ich gehe zwei-, dreimal in der Woche hinein, meistens mit meiner Mutter, der macht es großes Vergnügen.«

»Ich auch Theater!« rief der Kleine, den Friederike an der Hand führte.

»Freilich, du auch. Sonntag nachmittag«, wandte sie sich erklärend an mich, »spielen sie nämlich manchmal Stücke für die Kinder; da gehe ich mit dem Buben hin. Aber ich amüsiere mich auch sehr gut dabei.«

Von mir mußte ich ihr mancherlei erzählen. Nach meinem Beruf und anderen ernsten Dingen fragte sie wenig; sie wollte vielmehr wissen, wie ich meine freie Zeit verbrächte, und ließ sich gern über die geselligen Vergnügungen der großen Stadt berichten.

Die ganze Unterhaltung floß heiter fort; mit keinem Wort wurde jene gemeinschaftliche Erinnerung angedeutet – und doch war sie ihr gewiß ununterbrochen so gegenwärtig wie mir. Stundenlang spazierten wir herum, und ich fühlte mich beinahe glücklich. Manchmal ging der Kleine zwischen uns beiden, und da begegneten sich unsere Hände über seinen Locken. Aber wir taten beide, als wenn wir es nicht bemerkten, und redeten ganz unbefangen weiter.

Als ich wieder allein war, verflog mir die gute

Stimmung bald. Denn plötzlich fühlte ich wieder, daß ich nichts von Friederike wußte. Es war mir unbegreiflich, daß mich diese Ungewißheit nicht während unseres ganzen Gesprächs gequält und es kam mir sonderbar vor, daß Friederike selbst nicht das Bedürfnis gehabt hatte, davon zu sprechen. Denn selbst wenn ich annehmen wollte, daß zwischen ihr und ihrem Manne seit Jahren jener Stunde nicht mehr gedacht worden war – sie selbst konnte sie doch nicht vergessen haben. Irgend etwas Ernstes mußte damals meinem stummen Abschied gefolgt sein – wie hat sie es vermocht, nicht davon zu reden? Hat sie vielleicht erwartet, daß ich selbst beginne? Was hat mich davon zurückgehalten? Dieselbe Scheu vielleicht, die ihr eine Frage verbot? Fürchten wir uns beide, daran zu rühren? – Das ist wohl möglich. Und doch muß es endlich geschehen; denn bis dahin bleibt etwas zwischen uns, was uns trennt. Und daß uns etwas trennt, peinigt mich mehr als alles andere.

Nachmittag bin ich im Walde herumgeschlendert, dieselben Wege wie morgens mit ihr. Es war in mir eine Sehnsucht wie nach einer unendlich Geliebten. Am späten Abend ging ich an ihrem Haus vorbei, nachdem ich sie vergebens überall gesucht. Sie stand am Fenster. Ich rief hinauf, wie sie heute früh zu mir: »Kommen Sie nicht herunter?«

Sie sagte kühl, wie mir vorkam: »Ich bin müd. Gute Nacht« – und schloß das Fenster.

In der Erinnerung erscheint mir Friederike in zwei verschiedenen Gestalten. Meist seh' ich sie als eine blasse, sanfte Frau, die, mit einem weißen Morgenkleid angetan, im Garten sitzt, wie eine Mutter zu mir ist und mir die Wangen streichelt. Hätte ich nur diese hier wiedergetroffen, so wäre meine Ruhe gewiß nicht gestört worden und ich läge nachmittags unter den schattigen Buchen wie in den ersten Tagen meines Hierseins.

Aber auch als eine völlig andere erscheint sie mir, wie ich sie doch nur einmal gesehen; und das war in der letzten Stunde, die ich in der kleinen Stadt verbrachte.

Es war der Tag, an dem ich mein Abiturientenzeugnis bekommen hatte. Wie alle Tage hatte ich mit dem Professor und seiner Frau zu Mittag gespeist, und, da ich nicht zur Bahn begleitet werden wollte, hatten wir einander gleich beim Aufstehen vom Tische Adieu gesagt. Ich empfand durchaus keine Rührung. Erst wie ich in meinem kahlgeräumten Zimmer auf dem Bette saß, den gepackten Koffer zu meinen Füßen, und zu dem weit offenen Fenster hinaus über das zarte Laub des Gärtchens zu den weißen Wolken sah, die regungslos über den Hügeln standen, kam leicht, beinahe schmeichelnd, die Wehmut des Abschiedes über mich. Plötzlich öffnete sich die Tür. Friederike trat herein. Ich erhob mich rasch. Sie trat näher, lehnte sich an den Tisch, stützte beide Hände nach rückwärts auf dessen Kante und sah mich ernst an. Ganz leise sagte sie: »Also heute?« Ich nickte nur und fühlte das erstemal sehr tief, wie traurig es eigentlich war, daß ich von hier fort mußte. Sie schaute eine Weile zu Boden und schwieg. Dann erhob sie den Kopf und kam näher auf mich zu. Sie legte beide Hände ganz leicht auf meine Haare, wie sie es ja schon früher oft getan, aber ich wußte in diesem Moment, daß es etwas anderes bedeutete als sonst. Dann ließ sie ihre Hände langsam über meine Wangen heruntergleiten, und ihr Blick ruhte mit unendlicher Innigkeit auf mir. Sie schüttelte den Kopf mit einem schmerzlichen Ausdruck, als könnte sie irgend etwas nicht fassen. »Mußt du denn schon heute weg?« fragte sie leise. – »Ja«, sagte ich. – »Auf immer?« rief sie aus. »Nein«, antwortete ich. –

»O ja«, sagte sie mit schmerzlichem Zucken der Lippen, »es ist auf immer. Wenn du uns auch einmal besuchen wirst ... in zwei oder drei Jahren – heute gehst du doch für immer von uns fort.« – Sie sagte das mit einer Zärtlichkeit, die gar nichts Mütterliches mehr hatte. Mich durchschauerte es. Und plötzlich küßte sie mich. Zuerst dachte ich nur: das hat sie ja nie getan. Aber als ihre Lippen sich von den meinen gar nicht lösen wollten, verstand ich, was dieser Kuß zu bedeuten hatte. Ich war verwirrt und glücklich; ich hätte weinen mögen. Sie hatte die Arme um meinen Hals geschlungen, ich sank, als wenn sie mich hingedrängt hätte, in die Ecke des Diwans; Friederike lag mir zu Füßen auf den Knien und zog meinen Mund zu dem ihren herab. Dann nahm sie meine beiden Hände und vergrub ihr Gesicht darin. Ich flüsterte ihren Namen und staunte, wie schön er war. Der Duft von ihren Haaren stieg zu mir auf; ich atmete ihn mit Entzücken ein ... In diesem Augenblicke – ich glaubte vor Schrecken starr zu werden – öffnet sich leise die Tür, die nur angelehnt war, und Friederikens Mann steht da. Ich will aufschreien, bringe aber keinen Laut hervor. Ich starre ihm ins Gesicht – ich kann nicht sehen, ob sich irgendwas in seinem Ausdruck verändert

– denn noch im selben Augenblick ist er wieder verschwunden und die Tür geschlossen. Ich will mich erheben, meine Hände befreien, auf denen noch immer Friederikens Antlitz ruht, will sprechen, stoße mühsam wieder ihren Namen hervor – da springt sie selbst mit einem Male auf – totenbleich – flüstert mir beinahe gebieterisch zu: »Schweig!« und steht eine Sekunde lang regungslos da, das Gesicht der Türe zugewandt, als wolle sie lauschen. Dann öffnet sie leicht und blickt durch die Spalte hinaus. Ich stehe atemlos. Jetzt öffnet sie ganz, nimmt mich bei der Hand und flüstert: »Geh, geh, rasch.« Sie schiebt mich hinaus – ich schleiche rasch über den kleinen Gang bis zur Stiege, dann wende ich mich noch einmal um – und sehe sie an der Türe stehen, mit unsäglicher Angst in den Mienen, und mit einer heftigen Handbewegung, die mir andeutet: fort! fort! Und ich stürze davon.

An das, was zunächst geschah, denke ich wie an einen tollen Traum. Ich bin zum Bahnhof geeilt, von tödlicher Angst gepeinigt. Ich bin die Nacht durchgefahren und habe mich im Kupee schlaflos herumgewälzt. Ich bin zu Hause angekommen, habe erwartet, daß meine Eltern schon von allem unterrichtet seien und bin beinahe erstaunt gewesen, als sie mich mit Freundlichkeit und Freude empfingen. Dann habe ich noch tagelang in heftiger Erregung hingebracht, auf irgend etwas Schreckliches gefaßt; und jedes Klingeln an der Türe, jeder Brief machte mich zittern. Endlich kam eine Nachricht, die mich beruhigte: Es war eine Karte von einem Schulkameraden, der in der kleinen Stadt zu Hause war, und der mir harmlose Neuigkeiten und lustige Grüße sandte. Also, es war nichts Entsetzliches geschehen, zum mindesten war es zu keinem öffentlichen Skandal gekommen. Ich durfte glauben, daß sich zwischen Mann und Frau alles im stillen abgespielt, daß er ihr verziehen, daß sie bereut hatte.

Trotzdem lebte dieses erste Abenteuer in meiner Erinnerung anfangs als etwas Trauriges, beinahe Düsteres fort, und ich erschien mir wie einer, der ohne Schuld den Frieden eines Hauses vernichtet hat. Allmählich verschwand diese Empfindung, und später erst, als ich in neuen Erlebnissen jene Stunde besser und tiefer verstehen lernte, kam zuweilen eine seltsame Sehnsucht nach Friederike über mich – wie der Schmerz darüber, daß eine wunderbare Verheißung sich nicht erfüllt hätte. Aber auch diese Sehnsucht ging vorüber, und so war es geschehen, daß ich die junge Frau beinahe völlig vergessen hatte. – Nun aber ist mit einemmal alles wieder da, was jenes Geschehnis damals zum Erlebnis machte; und alles ist heftiger als damals, denn ich liebe Friederike.

Heute scheint mir alles so klar, was mir noch in den letzten Tagen rätselhaft gewesen ist. Wir sind spät abends am Strand gesessen, wir zwei allein; der Junge war schon zu Bette gebracht. Ich hatte sie am Vormittag gebeten, zu kommen; ganz harmlos; nur von der nächtlichen Schönheit des Meeres hatte ich gesprochen, und wie wunderbar es wäre, wenn alles ganz still ringsum, am Ufer zu sein und in die große Dunkelheit hinauszublikken. Sie hatte nichts gesagt, aber ich wußte, daß sie kommen würde. Und nun sind wir am Strand gesessen, beinahe schweigend, unsere Hände ineinander geschlungen, und ich fühlte, daß Friederike mir gehören mußte, wann ich wollte. Wozu über das Vergangene reden, dachte ich – und ich wußte, daß *sie* von unserem ersten Wiedersehen an so gedacht. Sind wir denn noch dieselben, die wir damals waren? Wir sind so leicht, so frei; die Erinnerungen flattern hoch über uns, wie ferne Sommervögel. Vielleicht hat sie noch manches andere erlebt während der sieben Jahre, wie ich; –

was geht es mich an? Jetzt sind wir Menschen von heute und streben zueinander. Sie war gestern vielleicht eine Unglückliche, vielleicht eine Leichtsinnige; heute sitzt sie schweigend neben mir am Meer und hält meine Hand und sehnt sich, in meinen Armen zu sein.

Langsam begleitete ich sie die wenigen Schritten bis zu ihrem Hause. Lange schwarze Schatten warfen die Bäume längs der Straße.

»Wir wollen morgen früh eine Fahrt im Segelboot machen«, sagte ich.

»Ja«, erwiderte sie.

»Ich werde an der Brücke warten, um sieben Uhr ...«

»Wohin?« fragte sie.

»Zu der Insel drüben ... wo der Leuchtturm steht, sehen Sie ihn?«

»O ja, das rote Licht. Ist es weit?«

»Eine Stunde; – wir können sehr bald zurück sein.«

»Gute Nacht«, sagte sie und trat in den Hausflur.

Ich ging. –– In ein paar Tagen wirst du mich vielleicht wieder vergessen haben, dachte ich, aber morgen ist ein schöner Tag.

Ich war früher auf der Brücke als sie. Das kleine

Boot wartete; der alte Jansen hatte die Segel aufgespannt und rauchte, am Steuer sitzend, seine Pfeife. Ich sprang zu ihm hinein und ließ mich von den Wellen schaukeln. Ich schlürfte die Minuten der Erwartung ein wie einen Morgentrunk. Die Straße, auf die ich meinen Blick gerichtet hatte, war noch ganz menschenleer. Nach einer Viertelstunde erschien Friederike. Schon von weitem sah ich sie, es schien mir, als ginge sie rascher als sonst; als sie die Brücke betrat, erhob ich mich; jetzt erst konnte sie mich sehen und grüßte mich mit einem Lächeln. Endlich war sie am Ende der Brücke, ich reichte ihr die Hand und half ihr ins Boot. Jansen machte das Tau los, und unser Schiff glitt davon. Wir saßen eng beieinander; sie hing sich in meinen Arm. Sie war ganz weiß gekleidet und sah aus wie ein achtzehnjähriges Mädchen.

»Was gibts auf dieser Insel zu sehen?« fragte sie.

Ich mußte lächeln.

Sie errötete und sagte: »Den Leuchtturm jedenfalls?«

»Vielleicht auch die Kirche«, setzte ich dazu.

»Fragen Sie doch den Mann ...« Sie wies auf Jansen.

Ich fragte ihn. »Wie alt ist die Kirche auf der Insel?«

Aber er verstand kein Wort deutsch; und so konnten wir uns nach diesem Versuch noch einsamer miteinander fühlen als früher.

»Dort drüben«, sagte sie und wies mit den Augen hin – »ist das auch eine Insel?«

»Nein«, antwortete ich, »das ist Schweden selbst, das Festland.«

»Das wär noch schöner«, sagte sie.

»Ja«, erwiderte ich – »aber dort müßte man bleiben können ... lang ... immer –«

Wenn sie mir jetzt gesagt hätte: Komm, wir wollen zusammen in ein anderes Land und wollen nie wieder zurück – ich wäre darauf eingegangen. Wie wir so auf dem Boote hinglitten, von der reinen Luft umspielt, den hellen Himmel über uns und um uns das glitzernde Wasser, da schien es mir eine festliche Fahrt, wir selbst ein königliches Paar, und alle früheren Bedingungen unseres Daseins abgefallen.

Bald konnten wir die kleinen Häuser auf der Insel unterscheiden; die weiße Kirche auf dem Hügel, der sich, allmählich ansteigend, die ganze Insel entlang hinzog, bot sich in schärferen Umrissen dar. Unser Boot flog geradwegs dem Ufer entgegen. In unserer Nähe zeigten sich kleine Fischerkähne; einige, an denen die Ruder eingezogen waren, trieben lässig auf dem Wasser hin. Friederike hatte den Blick meist auf die Insel gerichtet; aber sie *schaute* nicht. In weniger als einer Stunde fuhren wir in den Hafen ein, der rings von einer hölzernen Brücke umschlossen war, so daß man sich in einem kleinen Teich vermeinen konnte.

Ein paar Kinder standen auf der Brücke. Wir stiegen aus und gingen langsam ans Ufer; die Kinder hinter uns; aber die verloren sich bald. Das ganze Dorf lag vor uns; es bestand aus höchstens zwanzig Häusern, die rings verstreut waren. Wir sanken fast in den dünnen, braunen Sand ein, den das Wasser hier angeschwemmt hat. Auf einem sonnbeglänzten freien Platz, der bis ans Meer hinunterreichte, hingen Netze, zum Trocknen ausgebreitet; ein paar Weiber saßen vor den Haustüren und flickten Netze. Nach hundert Schritten waren wir ganz allein. Wir waren auf einen schmalen Weg geraten, der uns von den Häusern fort dem Ende der Insel zuführte, wo der Leuchtturm stand. Zu unserer Linken, durch ärmliches Ackerland, das immer schmäler wurde, von uns getrennt, lag das Meer; zu unserer Rechten stieg der Hügel an, auf dessen Kamm wir den Weg zur Kirche laufen sahen, die in unserem Rücken war. Über all dem lag schwer die Sonne und das Schweigen. – Friederike und ich hatten die ganze Zeit über nichts gesprochen. Ich fühlte auch kein Verlangen darnach; mir war unendlich wohl, so mit ihr in der großen Stille hinzuwandeln.

Aber sie begann zu sprechen.

»Heute vor acht Tagen«, sagte sie ...

»Nun –?«

»Da hab ich noch nichts gewußt ... noch nicht einmal, wohin ich reisen werde.«

Ich antwortete nichts.

»Ah, ist's da schön«, rief sie aus und ergriff meine Hand.

Ich fühlte mich zu ihr hingezogen; am liebsten hätte ich sie in meine Arme geschlossen und auf die Augen geküßt.

»Ja?« fragte ich leise.

Sie schwieg und wurde eher ernst.

Wir waren bis zu dem Häuschen gekommen, das an den Leuchtturm angebaut war; hier endete der Weg; wir mußten umkehren. Ein schmaler Feldweg führte ziemlich steil den Hügel hinan. Ich zögerte.

»Kommen Sie«, sagte sie.

Wie wir jetzt gingen, hatten wir die Kirche im Auge. Ihr näherten wir uns. Es war sehr warm. Ich legte meinen Arm um Friederikens Hals; sie mußte ganz nahe bei mir bleiben, wenn sie nicht abgleiten wollte. Ich berührte mit der Hand ihre heißen Wangen.

»Warum haben wir eigentlich die ganze Zeit nichts von Ihnen gehört?« fragte sie plötzlich – »ich wenigstens«, setzte sie hinzu, indem sie zu mir aufschaute.

»Warum«, wiederholte ich befremdet.

»Nun ja!«

»Wie konnte ich denn?«

»O *darum*«, sagte sie. »Waren Sie denn verletzt?«

Ich war zu sehr erstaunt, um etwas erwidern zu können.

»Nun, was haben Sie sich eigentlich gedacht?«

»Was ich mir –«

»Ja –– oder erinnern Sie sich gar nicht mehr?«

»Gewiß, ich erinnere mich. Warum sprechen Sie jetzt davon?«

»Ich wollte Sie schon lange fragen«, sagte sie.

»So sprechen Sie«, erwiderte ich tief bewegt.

»Sie haben es für eine Laune gehalten – o gewiß!« setzte sie lebhaft hinzu, als sie merkte, daß ich etwas entgegnen wollte – »aber ich sage Ihnen, es war keine. Ich habe mehr gelitten in jenem Jahre, als ein Mensch weiß.«

»In welchem?«

»Nun ... als Sie bei uns ... Warum fragen Sie das? – Anfangs habe ich mir selbst ... Aber warum erzähle ich Ihnen das?«

Ich faßte heftig ihren Arm. »Erzählen Sie ... ich bitte Sie ... ich habe Sie ja lieb.«

»Und ich dich«, rief sie plötzlich aus; nahm meine beiden Hände und küßte sie – »immer – immer.«

»Ich bitte dich, erzähle mir weiter«, sagte ich, »und alles, alles ...«

Sie sprach, während wir langsam den Feldweg in der Sonne weiterschritten.

»Anfangs habe ich mir selbst gesagt: Er ist ein Kind ... wie eine Mutter habe ich ihn gern. Aber je näher die Stunde kam, um die Sie abreisen sollten ...«

Sie unterbrach sich eine Weile, dann sprach sie weiter:

»Und endlich war die Stunde da. – Ich habe nicht zu dir wollen – ich weiß nicht, was mich hinaufgetrieben hat. Und wie ich schon bei dir war, hab ich dich auch nicht küssen wollen – aber ...«

»Weiter, weiter«, sagte ich.

»Und dann hab ich dir plötzlich gesagt, daß du gehen sollst – du hast wohl gemeint, das ganze war eine Komödie, nicht wahr?«

»Ich verstehe dich nicht.«

»Das habe ich die ganze Zeit gedacht. Ich habe dir sogar schreiben wollen... Aber wozu? ... Also... der Grund, daß ich dich weggeschickt habe, war... Ich hatte mit einem Male Angst bekommen.«

»Das weiß ich.«

»Wenn du das weißt – warum hab ich nie wieder von dir gehört?« rief sie lebhaft aus.

»Warum hast du Angst bekommen?« fragte ich, allmählich verstehend.

»Weil ich glaubte, es wäre jemand in der Nähe.«

»Du glaubtest? Wie kam das?«

»Ich meinte, Schritte auf dem Gang zu hören. Das wars. Schritte! Ich dachte, *er* wär es... Da hat mich die Furcht gepackt – denn es wäre entsetzlich gewesen, wenn er – o, ich will gar nicht daran denken. – Aber niemand war da – niemand. Erst spät am Abend ist er nach Hause gekommen, du warst längst, längst fort.« –

Während sie das erzählte, fühlte ich, wie irgend

etwas in meinem Innern erstarrte. Und als sie geendet hatte, schaute ich sie an, als müßte ich sie fragen: Wer bist du? – Ich wandte mich unwillkürlich nach dem Hafen, wo ich die Segel unseres Bootes glänzen sah, und ich dachte: Wie lange, wie unendlich lange ist es her, daß wir auf diese Insel gekommen sind? Denn ich bin mit einer Frau hier gelandet, die ich geliebt habe, und jetzt geht eine Fremde an meiner Seite. Es war mir unmöglich, auch nur ein Wort zu sprechen. Sie merkte es kaum; sie hatte sich in meinen Arm gehängt und hielt es wohl für zärtliches Schweigen. Ich dachte an *ihn*. Er hat es ihr also nie gesagt! Sie weiß es nicht, sie hat es nie gewußt, daß er sie zu meinen Füßen liegen sah. Er hat sich damals von der Tür wieder davongeschlichen und ist erst später... stundenlang später zurückgekommen und hat ihr nichts gesagt! Und er hat die ganzen Jahre an ihrer Seite weitergelebt, ohne sich mit einem Worte zu verraten! Er hat ihr verziehen – und sie hat es nicht gewußt!

Wir waren in der Nähe der Kirche angelangt; kaum zehn Schritte vor uns lag sie. Hier bog ein steiler Weg ab, der in wenigen Minuten ins Dorf führen mußte. Ich schlug ihn ein. Sie folgte mir.

»Gib mir die Hand«, sagte sie, »ich gleite aus.«

Ich reichte sie ihr, ohne mich umzuwenden. »Was hast du denn?« fragte sie. Ich konnte nichts anworten und drückte ihr nur heftig die Hand, was sie zu beruhigen schien. Dann sagte ich, nur um etwas zu reden: »Es ist schade, wir hätten die Kirche besichtigen können.« – Sie lachte: »An der sind wir ja vorüber, ohne es zu merken!«

»Wollen Sie zurück?« fragte ich.

»O nein, ich freue mich, bald wieder im Boot zu sitzen. Einmal möchte ich mit Ihnen allein so eine Segelpartie machen, ohne diesen Mann.«

»Ich verstehe mich nicht auf Segeln.«

»O«, sagte sie und hielt inne, als wäre ihr plötzlich etwas eingefallen, was sie doch nicht sagen wollte. – Ich fragte nicht. Bald waren wir auf der Brücke. Das Boot lag bereit. Die Kinder waren wieder da, die uns beim Kommen begrüßt hatten. Sie sahen uns mit großen blauen Augen an. Wir segelten ab. Das Meer war ruhiger geworden; wenn man die Augen schloß, merkte man kaum, daß man sich in Bewegung befand.

»Zu meinen Füßen sollen Sie liegen«, sagte Friederike, und ich streckte mich am Boden des Kahnes aus, legte meinen Kopf auf den Schoß Friederikens. Es war mir recht, daß ich ihr nicht ins Gesicht sehen mußte. Sie sprach, und mir war, als klänge es aus weiter Ferne. Ich verstand alles und konnte doch zugleich meine Gedanken weiter denken.

Mich schauderte vor ihr.

»Heut abend fahren wir zusammen aufs Meer hinaus«, sagte sie.

Etwas Gespenstisches schien mir um sie zu gleiten.

»Heut abend aufs Meer«, wiederholte sie langsam, »auf einem Ruderboot. Rudern kannst du doch?«

»Ja«, sagte ich. Mich schauderte vor dem tiefen Verzeihen, das sie schweigend umhüllte, ohne daß sie es wußte.

Sie sprach weiter. »Wir werden uns ins Meer hinaustreiben lassen – und werden allein sein. – Warum redest du nicht?« fragte sie.

»Ich bin glücklich«, sagte ich.

Mich schauderte vor dem stummen Schicksal, das sie seit so vielen Jahren erlebt, ohne es zu ahnen. Wir glitten hin.

Einen Augenblick fuhr es mir durch den Sinn: Sag es ihr. Nimm dieses Unheimliche von ihr; dann wird sie wieder ein Weib sein für dich wie andere, und du wirst sie begehren. Aber ich durfte es nicht. – Wir legten an.

Ich sprang aus dem Boot; half ihr beim Aussteigen.

»Der Bub wird sich schon nach mir sehnen. Ich muß rasch gehen. Lassen Sie mich jetzt allein.«

Es war lebhaft am Strand; ich merkte, daß wir von einigen Leuten beobachtet wurden.

»Und heute Abend«, sagte sie, »um neun bin ich... aber was hast du denn?«

»Ich bin sehr glücklich«, sagte ich.

»Heute Abend«, sagte sie, »um neun Uhr bin ich hier am Strand, bin ich bei dir. – Auf Wiedersehen!«

Und sie eilte davon.

»Auf Wiedersehen!« sagte auch ich und blieb stehen. – Aber ich werde sie nie wiedersehen.

Während ich diese Zeilen schreibe, bin ich schon weit fort – weiter mit jeder Sekunde; ich schreibe sie in einem Coupé des Eisenbahnzuges, der vor einer Stunde von Kopenhagen abgefahren ist. Eben ist es neun. Jetzt steht sie am Strande und wartet auf mich. Wenn ich die Augen schließe, sehe ich die Gestalt vor mir. Aber es ist nicht eine Frau, die dort am Ufer im Halbdunkel hin und her wandelt – ein Schatten gleitet auf und ab.

Arthur Schnitzler

Casanovas Heimfahrt
Erzählungen. Band 1343

Aus dem Inhalt: ›Der blinde Heronimo und sein Bruder‹, ›Leutnant Gustl‹, ›Die Fremde‹, ›Der Tod des Junggesellen‹, ›Das Tagebuch der Redegonda‹, ›Spiel im Morgengrauen‹, ›Casanovas Heimfahrt‹, ›Fräulein Else‹.

Jugend in Wien
Eine Autobiographie. Band 2069

»Keine Zweifel: dieses autobiographische Fragment wird erheblich zum besseren Verständnis des Schnitzlerschen Wesens und des Schnitzlerschen Werkes beitragen.« *Friedrich Torberg*

Reigen / Liebelei
Zehn Dialoge / Schauspiel in drei Akten
Band 7009

»Die beiden kleinen Stücke, die hier miteinander gesellt sind, sein (Schnitzlers) berühmtestes und sein berüchtigstes, scheinen sich schlecht miteinander zu vertragen: die gemütvolle »Liebelei« und der ungemütliche »Reigen«, die rührende Tragödie und das »zynische« Satyrspiel, das eine ein Volksstück, gesättigt mit Lokalkolorit – es gibt keine Dichtung, in der mehr Wiener Luft wehte – mit allen öffentlichen Ehren im Burgtheater aufgeführt, das andere als Konterbande lange im Schreibtisch des Dichters versteckt und von Ärgernissen und Skandalen umwittert.«
(Aus dem Nachwort von Richard Alewyn)

Fischer Taschenbuch Verlag

fi 292 / 1

ARTHUR SCHNITZLER

Das dramatische Werk

Taschenbuchausgabe in acht Bänden

BAND 1

Alkandi's Lied - Anatol - Anatols Größenwahn - Das Märchen
Die überspannte Person - Halbzwei - Liebelei

BAND 2

Freiwild - Reigen - Das Vermächtnis - Paracelsus
Die Gefährtin

BAND 3

Der grüne Kakadu - Der Schleier der Beatrice - Silvesternacht
Lebendige Stunden

BAND 4

Der einsame Weg - Marionetten - Zwischenspiel
Der Ruf des Lebens

BAND 5

Komtesse Mizzi oder Der Familientag
Die Verwandlungen des Pierrot - Der tapfere Kassian (Singspiel)
Der junge Medardus

BAND 6

Das weite Land - Der Schleier der Pierrette
Professor Bernhardi

BAND 7

Komödie der Worte - Fink und Fliederbusch
Die Schwestern oder Casanova in Spa

BAND 8

Der Gang zum Weiher - Komödie der Verführung
Im Spiel der Sommerlüfte

FISCHER TASCHENBUCH VERLAG

fi 199/2

ARTHUR SCHNITZLER

Das erzählerische Werk

Taschenbuchausgabe in sieben Bänden

BAND 1

*Welch eine Melodie – Er wartet auf den vazierenden Gott
Amerika – Erbschaft – Mein Freund Ypsilon
Der Fürst ist im Haus – Der Andere – Reichtum – Der Sohn
Die drei Elixiere – Die Braut – Sterben – Die kleine Komödie
Komödiantinnen – Blumen – Der Witwer – Ein Abschied
Der Empfindsame – Die Frau des Weisen*

BAND 2

*Der Ehrentag – Die Toten schweigen – Um eine Stunde
Die Nächste – Andreas Thameyers letzter Brief
Frau Berta Garlan – Ein Erfolg – Leutnant Gustl
Der blinde Geronimo und sein Bruder – Legende
Wohltaten, still und rein gegeben – Die grüne Krawatte*

BAND 3

*Die Fremde – Exzentrik – Die griechische Tänzerin
Die Weissagung – Das Schicksal des Freiherrn von Leisenbogh
Das neue Lied – Der tote Gabriel – Geschichte eines Genies
Der Tod des Junggesellen – Die Hirtenflöte
Die dreifache Warnung – Das Tagebuch der Redegonda
Der Mörder – Frau Beate und ihr Sohn
Doktor Gräsler, Badearzt*

BAND 4

Der Weg ins Freie

BAND 5

*Der letzte Brief eines Literaten – Casanovas Heimfahrt
Flucht in die Finsternis – Fräulein Else*

BAND 6

*Die Frau des Richters – Traumnovelle – Spiel im Morgengrauen
Boxeraufstand – Abenteuernovelle – Der Sekundant*

BAND 7

Therese

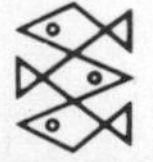

FISCHER TASCHENBUCH VERLAG

fi 200/1

Arthur Schnitzler

Der Sekundant
und andere Erzählungen. Band 9100
»Wunderschön sparsam und durchsichtig« hat Hugo von Hofmannsthal die Art und Weise genannt, mit der Arthur Schnitzler »alles Äußerliche, das den Fortgang der Handlung unterstützt«, in seinen Werken schildert.

Spiel im Morgengrauen
Erzählung. Band 9101
»Spiel im Morgengrauen« ist ein für Arthur Schnitzlers Erzählen sehr charakteristisches Beispiel: das Motiv des Spiels – des Spiels der Akteure mit ihren Gedanken und Gewohnheiten und des Spiels des Zufalls, des Schicksals – kehrt bei ihm wieder wieder.

Fräulein Else
und andere Erzählungen. Band 9102
»Schon das Gestern verschwimmt, und alles, was ein paar Tage zurückliegt, bekommt den Charakter eines unklaren Traumes.« Arthur Schnitzler erzählt vom Fehlverhalten der Menschen, die, aus solchem Lebensgefühl heraus, nicht davor zurückscheuen, die anderen, die gewissenhaften, zu opfern, wenn sie selbst sich allzusehr verstrickt haben.

Arthur Schnitzler
Sein Leben · Sein Werk · Seine Zeit

Herausgegeben von Heinrich Schnitzler,
Christian Brandstätter und Reinhard Urbach
368 Seiten. Mit 324 Abbildungen. Leinen im Schuber

Kaum ein Autor der Wiener Jahrhundertwende stand so sehr im Brennpunkt von Polemik, Kritik und Verleumdung, war in so viele Skandale und Prozesse verwickelt wie Arthur Schnitzler. Gegen antisemitische Hetze hatte er sich ebenso zu wehren wie gegen mißverständliche Verehrung und böswillige Klischee-Urteile, die ihn zum leichtsinnigen Erotiker und oberflächlichen Causeur machen wollten. Doch am schwersten hatte er es mit sich selbst, wie eine Tagebucheintragung aus dem Jahre 1909 deutlich macht: »Hypochondrie, in jedem Sinne, der schwerste Mangel meines Wesens; sie verstört mir Lebensglück und Arbeitsfähigkeit – dabei gibt es keinen, der so geschaffen wäre, sich an allem zu freuen und der mehr zu thun hätte. –«
Leben, Werk und Umkreis des Dichters werden in diesem Band in Beziehung zu seiner Zeit gesetzt. Autobiographische Aufzeichnungen, zumeist unveröffentlichte Briefe und Tagebuchnotizen und zahlreiche bisher nicht bekannte Bilder fügen sich zu seiner authentischen Biographie zusammen.

S. Fischer

fi 331/2